エスター・ヒックス＋ジェリー・ヒックス
吉田利子 訳

実践 引き寄せの法則

感情に従って“幸せの川”を下ろう

The Astonishing Power of Emotions

Tune into Hay House broadcasting at: www.hayhouseradio.com

わたしたちは、この時代に非常に大きな影響を与えている人たちに出会ってきた。なかでも、ヘイ・ハウスの創立者ルイーズ・ヘイ（ルル）はまるで水源のように、人々を元気づける前向きな流れを世に送り続けている。ルルのビジョンに導かれたヘイ・ハウスは、今やスピリチュアル書籍や自己啓発本で世界最大の出版社になった。

そこで、ルイーズ・ヘイに――それから彼女のビジョンに引き寄せられたすべての人たちに――愛と感謝を込めて本書を捧げる。

実践　引き寄せの法則　目次

◆Part2
事例に学ぶ〝感情の驚くべき力〟　—　079

はじめに

「これはすごい本よ！　もっといい人生を送りたい、その方法を知りたいという人なら誰にとってもすごい本だわ！」

本書（いちばん新しいエイブラハムの本：『実践 引き寄せの法則』）の最後の見直しをしていた妻のエスターはさきほど、こう叫んだ。わたしはエスターと一緒に20年間も本を出してきたが、彼女が「すごい本！」と言ったのはこれが初めてだ。いつもなら、「あなたはどう思う？」と聞くのが普通なのに。

わたし自身も、これは今まで出版されたエイブラハムの本のなかでも最も画期的で、力強い本だと思う。だが、読者のなかにはきっと本書が複雑すぎるとか、先端的すぎてよくわからない、という人たちもいるだろう。逆に、内容がシンプルすぎるとか、ぴったりこないと思う人もいるかもしれない。

そこで、**本書は決して特に難解でもなければ単純でもなく、ここに書かれているのは実**

践的で先端的な情報であって、もっといろいろな希望を実現し、ほかの人たちにとっても価値ある人間になりたいと思う人であれば、すぐに実行できる情報であることを、この「はじめに」の文章でわかってもらいたい。

さて、「あなたの人生には目的がある。その目的とは、もっともっと楽しむことだ」と言われたら、どう思われるだろう？　また、「成功を測る真の物差しは人生で感じる喜びだ」と言われたら？

それに「あなたの人生の基本は自由であり、あなたは自由な者として生まれただけでなく、自分の思考を選べるからこそ常に自由なのだ」と言われたら？

さらに、「気持ちのいい考えが浮かぶとき、その瞬間にあなたは目的を達成しているのだ」と言われたら？　そのときあなたは「すべてであるものの幸せ」をさらに進化させ、向上させている。

また、「一見確固たるものに見えるあなたの信念も、実はおりおりに思いつき考えてきたさまざまな思考が集まって凝り固まったものにすぎない」と言われたら？「あなたが生まれた瞬間から（いや、それ以前から）あなたの考えや信念は、先人の影響を強く受けている」と言われたら？

それから、「人生経験とは要するにあなたのなかで主流となっている考え方の結果で、一定時間関心を向け続けた思考のエッセンスが現実となって現れる」と言われたら？　言い換えれば「あなたが恐れていることがあなたの身に降りかかる」「あなたが信じていることが実現する」「思考は現実化し、思考によって豊かになれる」「似た者同士は引き寄せあう」「まいた種を刈り取る」ということだ。

そこで考えていただきたい。今挙げたような考え方を聞いたことがあれば、本当にそうなのか自分で試してみたいとは思われないだろうか？　どこまで本当なのか、自分で確認してみたいと思われないだろうか？　実際にそうなのか、行動してみようと思われるのではないだろうか？

ここまで読んで、ふと自分の心の奥を振り返り、「そう、思い出した、自分もそのことは知っていた」と感じる人もいるだろう。もしそうなら、あなたは本書から「本当の自分」についての考え方だけでなく、この時空における人生の価値と目的についてもすぐに学びとって実践できるはずだ。

あなたがたが良心とよんでいるのは、自分に染みついた（先人に植え込まれた）信念であり、それに照らして、生き方や行動や所有物の何が正しくて、何が間違っているかを判断している。だが、この信念は外から押しつけられたものだから、今あなたの考え方に影響力を及ぼし得る者なら誰でも修正することができる。

言い換えれば、良心といっても多様で柔軟性があり、親やそのまた親の世代の不安や賞賛や忠告や報酬の約束、(現在あるいは未来の)懲罰による脅しなどによって出来上がっている。それに、心配のあまり他者をコントロールしようと考える人たちは、自分の良心をなだめるために、子どもたちに(有名な漫画のキャラクター、ジミニー・クリケットを使ってまで)「良心に従って行動しなさい」と教えている。

過去の幾多の文明や社会、宗教、支配者、指導者、教師が(それに両親も)、それぞれ自分たちの信念を新しい世代に伝えようとしてきたために、どの良心に従うべきかをめぐって、今の世界には実にさまざまな相反する見解が存在している。それに暴力的な戦争も。それでは、あなたはどの考え方、信念、良心に従って善悪を判断すべきなのだろうか？

すると、こう自問することになりはしないか？

「誰の考え方、信念、あるいは良心を自分の指針にして行動するのが正しいのだろう？」

「感情に従って〝幸せの川〟を下ろう」という副題がついている本書が、その疑問に答える。自分がもっと気持ちよく感じる生き方を発見することが目的なら……そして思考は信念と同じで、感情ともイコールであり、したがってそれが人生経験そのものだとすれば……また「引き寄せの法則」(要するに似たものを引き寄せるということ)に従って思考を変えることで経験を変えられるなら……どの思考／信念が結局はいちばん喜びをもたらしてくれるのか、どうすれば確かめられるのか？

本書はいろいろな面でユニークだが、とりわけこの質問に答えるために書かれたという意味ではほかに類がない。そしてその答えは、端的に言えば「自分の感情を指針にしよう」ということなのだ。

この本は、もっともっと豊かで充実した人生を送りたいあなたのために書かれた。世界の改善や救済がテーマではない。世界は改善や救済を望んでいないし、必要ともしていない（世界は欠陥製品ではない）。**簡単に言うと、エイブラハムの教えはもっと喜びにあふれる満ち足りた人生を生きたい（それが本来の人生のありかたなのだから）、そしてほかの人たちにもそれぞれが希望する人生を送ってもらいたい、というあなたのための教えだ。**

今あなたがどんなに好調でも、まだ望むことはあるだろう。どんなにいい気分でも、もっといい気分になりたいと思うだろう。「もっと！　もっと！　もっと！　もっと拡大しよう。もっと表現しよう。もっと開こう。もっと求めよう。もっと生きよう！」それが常に拡大し続ける宇宙のマントラだ。

わたしたちの地球には何十億人もの人々がいて、それぞれがもっとよい暮らしをしたい、もっといい気分になりたいと願っている。あなたやわたしひとりひとりに、一瞬一瞬、自分にとって本来そうあるべき幸せを受け取ることを「許容・可能に」するか、あるいはそれに抵抗するかを選ぶチャンスが与えられている。もちろん、もっと多くを望んでいるほかの何十億人もの人々にも同じ選択肢がある。この限りなく豊かな宇宙には提供できないものは何もないが、一方、自分が自分の願いの実現を「許容・可能に」しなければ、何も受け取ることはできない。

本書もエイブラハムの教えをまとめた本の一冊である。本書の土台になったのは、1985年にエイブラハムとのコミュニケーションが始まって以来、大勢の人たちが投げ掛けてきたたくさんの質問に対するエイブラハムの答えの集積だ。

それでは、エイブラハムとは何者か？　言葉では説明しつくせない非物質的な現象といえばいいだろうか。わたしにとってエイブラハムは、自然な「宇宙の法則」の実践的活用法を教えてくれる、無条件な愛にあふれた、素晴らしく賢明な教師たちの「グループ」だ。そして、わたしが出会ったなかで最高の純粋な愛の形でもある。

エイブラハムはなんらかの方法で（言葉ではなく）思考の塊《かたまり》を投げ掛け、それを妻のエスターが（受信機のように）質問に対する答えとして受け取る。エイブラハムは決して向こうから押しつけることはない。こちらが尋ねるときにだけ、答えてくれる。

例えば、スペイン語の会話を英語に通訳するときには、逐語訳ではなく内容を伝えるが、エスターもエイブラハムが投げ掛けてくる言葉にならない思考の内容を、母語である英語に変換する。エスターがどんなふうにしているのか、正確にはわからないが、もう20年以上もそうやってきたし、このやり取りはどんなときでも実に楽しかった。個人として満たされるだけでなく、質問する大勢の人たちにとって、エイブラハムの答えがどれほど価値あるものか、この目で見ることができるからだ。

このコミュニケーションの最初から、エイブラハムの教えの核心には「引き寄せの法則」という宇宙の法則」がある（これについては、わたしたちのウェブサイト www.abraham-hicks.com で無料の情報をたくさん見ることができる）。

1985年にこの不思議な現象が始まったとき、わたしはエイブラハムに（人間が人間を支配したり抑圧したりするために生み出した不自然な規則ではなく）いちばん自然に生きるための「宇宙の法則」について尋ねた。エイブラハムが教えてくれた第一の法則は「引き寄せの法則」（要するに、「似たものを引き寄せる」ということ）だった。エイブラハムから聞くまで、この言葉を聞いた覚えはない（だが、今では「引き寄せの法則」についてまったく聞いたことがない、という人のほうが英語圏では少ないかもしれない）。しかし、あのときエイブラハムが明確に示してくれたこの法則は、わたしにとっては目新しくて非常にエキサイティングだった。そこで1985年、わたしはいろいろな面で人生をよくするための方法をエイブラハムから聞き、その内容を20本のテーマ別カセットテープにする作業を始めた。

最初のカセットは「引き寄せの法則」というタイトルで、この情報はその後20年たった今でも――最初は紹介用のカセットという形で、今ではウェブサイトからの無料ダウンロードで――手に入れることができる。最近わたしたちは20本のうちの最初の5本を本にまとめて、「引き寄せの法則」シリーズ（『引き寄せの法則　エイブラハムとの対話』『人間関係と「引き寄せの法則」』『お金と「引き寄せの法則」』『スピリチュアリティと「引き寄せの法則」』）の第一冊を出版した。

その後の20年に多くの著者、脚本家、映画制作者（わたしたちが毎週提供する情報プログラムに参加していた人たちも多い）が、エイブラハムの生命観と自然な「宇宙の法則」（特に「引き寄せの法則」）がユニークで力強くて貴重なものであることを感じ取り、さまざまなプロジェクトで活用し始めた。彼らは言葉を少し変えて、それぞれの名称で（ときには情報源を明らかにして）この情報を世間に発表し、今では「引き寄せの法則」という言葉は、全世界の大勢の人たちに知られて話題になっている。だがそのようなバージョンではエイブラハムの言葉に常に手が加えられており（たぶん知的財産権保護法に抵触しないためだろうが）、そのためにたくさんの人たちがなんらかの形で「引き寄せの法則」のことを聞いてはいても、そのほとんどは情報としてあまり正確ではなく、この画期的な考え方を真に理解し活用することができるようになっていない。とはいえ、多くのクリエイティブな人々は、エイブラハムの教えが自分たちのインスピレーションのもとであることを明らかにしている。彼らが最初にどこからこの深くて力強い原則を学んだかを（エスターを通じて、エイブラハムから学んだと）はっきり示していることには、エスターもわたしも感謝している。

ここである話をしておくことも、参考になるかもしれない。１９６５年、わたしはナポレオン・ヒルの名著『思考は現実化する　ナポレオン・ヒルの決定版・成功哲学』（騎虎書房）を読んだ（そして活用し、大成功を収めた！）。ヒルの成功哲学はわたしには効果絶大だったので、自分のビジネスと関連づけて、この本を教科書に使ってほかの人たちにもその内容を教えることにした。

わたしの目標は当時も今と同じだった。自分とかかわりあうすべての人たちが、わたしとの人間関係によって自分を高められるように、あるいは以前のまま変わらないとしても、少なくともほんのわずかでも損なわれることがないように、と考えていたのである。

数年間ナポレオン・ヒルの成功哲学を教えたわたしは、一緒に勉強した人たちのなかで、わたしが全員に期待した成功を達成した者はほんの一握りしかいない、ということに気づかざるを得なかった。また、それなりに豊かになった人たちは多いものの、いくらコースに参加してもあまり豊かになれない人たちもいた。

ヒルは著書の最初の９ページで、読者に「シークレット」を探せと指示している（彼は「隠れたシークレット」という言葉を24回使っている)。ところがわたしは1965年から1982年までの間にたぶん千回はこの本を読んだが、その「シークレット」が何なのか、どうしても確信を持てなかった。何かが足りない、そんな気がしてならなかった。金銭的成功の方程式には何か別の要素があるはずだ。そこでわたしはそのミッシングリンクを探し始めた。

その後もさまざまな哲学に関する本を読んだが、やはり『思考は現実化する』が求めるものに最も近かった。ところが、実はヒルは知っていたのに、大衆相手の市場では受け入れられないと思って本に書かなかったことがたくさんあったのだ。しかも、彼が本に書いた「シークレット」の大半までが編集で削られていた!

3年ほど前、わたしは削除前の『思考は現実化する』を見つけた。Melvin PowersのWilshire Book社から発行されたもので、この無削除版を自分が40年以上も使っていた版と一語一語比較してみて驚いたのは、新版では編集作業で「シークレット」が巧妙に消されていることだった。

ヒルの「シークレット」がなんなのかわからなかったのも不思議ではない。本には書かれていなかったのだから! ここではこれ以上詳しいことには立ち入らないが、いろいろな修正のうちひとつだけ指摘すれば、波動という言葉が37回削除されていた(このことはあとでまた触れるので覚えておいてほしい)。つまり、ナポレオン・ヒルは当人が公表しようとしなかった多くの「成功の秘密」を発見していたし、また彼が第一版で公表しようとした「真理」の多くは削除されていたのである。

それから70年、今度はエスターとわたしが「真理」の公表についておもしろい経験をした。

わたしたちはあるテレビプロデューサーからエスターを中心とした番組を作りたいという依頼を受けた。その女性プロデューサーは、わたしたちの「幸福の冒険クルーズ」に取材班を連れてやってきて、船上のワークショップを取材した。ところが偶然が重なって、この番組はオーストラリアのネットワークで放送される前にＤＶＤになり、結果として大成功を収めた。世界中の何百万人もの人たちがこれを見ている。番組は『ザ・シークレット』という題名で、隠された「成功の秘密」が明かされると宣伝された。だが熱心な視聴者は、自分たちが探し求めた本当の「シークレット」がまたしてもぼかされたことをほとんど知らなかった。つまり、わたしたちが知らされたところによれば、番組が放送される前にお偉方から指示があり、（いろいろあったなかでも特に）エイブラハムの教えのキーワードである「波動」を削除せよと命じられていたのだ。

エスターとわたしは驚いた！　70年たった今でも「波動」という言葉の公表は「ご法度」なのだ！　そこで「秘密」は依然として秘密であるというのが、『ザ・シークレット』の本当の秘密だということになってしまった。

皆さんがこんな経験をしたら、いったいどこまで検閲をくぐって「真理」が明かされているのだろう、と疑問に思うのではないだろうか？　しかし、こうした画期的な哲学概念の大半がメディアによって消されるのは、大衆から「真理」を隠すためではなく、そのほうが売れると営業関係者が考えるからだろうとわたしは思う。さらに善意の人たちは画期的な考え方を受け入れてもらおうとして中身を薄めたり、その純粋さの衝撃を弱めて口あたりをよくするために言葉を変える。エイブラハムはわたしたちに「先端的な思考に大衆的な人気があった試しはない」と教えてくれた。しかし、インターネットで即座に人々がつながるこの新しい時代には、大衆のなかにも先端的な考え方ができる人たちがいることを、わたしたちは知っている。

エスターとわたしはこの前（2007年3月）、（1985年のカセットから起こした）『引き寄せの法則』が、ニューヨーク・タイムズのベストセラー・リストでとうとう2位になったと出版社から知らされた。また、アマゾンで扱われている何百万冊もの本のなかで、ヘイ・ハウスから出たわたしたちの最初の本『運命が好転する 実践スピリチュアル・トレーニング』（PHP研究所）は、出版以来3年間ほとんど毎日トップセラー・ランキングの100位以内に入っている。それに先週は、CDオーディオブックの『引き寄せの法則』

がiTunesで3位を占めたと聞いたし、今月初めにはエイブラハムの教えがウォルマート、サムズ・クラブ、コストコでも扱われるようになった。言い換えれば、現在1万以上の小売店や書店で入手できるし、扱い店は今も増え続けている。さらにうれしくも名誉なことに、わたしたちは人気絶大の優れたテレビ司会者オプラ・ウィンフリーと3回、ラジオ番組を制作している。

どうしてこんなことをここでお話しするのか？　この情報が一般的な視聴者にもどんどん受け入れられている今、人々のさまざまな反応が書評を通してわたしたちの耳に届くようになった。またわたしたちはオンラインの書評も読み始めている。エイブラハムの情報を本で学んだ多くの人たちが、どれほど喜んでいるかを知ることができて大変にうれしい、心温まる思いをしている。だが残念ながら、薫り高い花束にはチクリと刺すハチも潜んでいる！　例えばエスターが教えを受け取る手段を「捏造」しているから——言葉を換えれば、本を売るために「チャネリングだと言って」いるから——このメッセージは信用できないと言う人たちがいる。まったく逆に、エスターが実際にエイブラハムから直接教えを受けていると「信じて」、そういうやり方で本を書くのは間違っていると「自分たちの良心」というプログラマーに教えられているから、そんな本は信頼しない、という批判者もいる。こういう人たちのすべてを納得させるにはどうすればいいのだろう？

しかしわたしたちはずっと前に、全員を納得させることは誰にもできない、と教えられた。だからエイブラハムから受け取った実践的な情報は、なんでも純粋なまま(検閲なしに)、自分の疑問に対するエイブラハムの答えを知りたいと思う人たちに届けようと考えて、1985年初めに自費出版したのである。

ルイーズ・ヘイは、エイブラハムに本を書いてもらってヘイ・ハウスから出版したいとわたしたちに依頼してきたとき(『運命が好転する 実践スピリチュアル・トレーニング』)、幹部社員にこう言ったという。「社員全部に、編集過程で一語もエイブラハムの言葉を変更してはいけない、と伝えましょう。エイブラハムの教えが純粋な形で全世界に伝わることを『許容・可能に』するのです」と。

答えを求める世界の人たちにこの素晴らしい本を純粋な形で届けるという約束をルイーズと出版社が守ってくれたことが、エスターとわたしはとてもうれしかった。また、この本を求めてくれた世界の人々にも感謝した。そして今回、また一冊、エイブラハムの教えを広める本を出版できることを大変喜んでいる。だが、いちばん楽しいのは情報の変換、すなわち創造の過程だった。

エスターにしてもわたしにしても、さまざまな環境の人々がそれぞれの見方を持ち寄り、エイブラハムに重要な質問をするフォーラムの開催ほど楽しいことはない。このメッセージが、皆さんのような人たちの終わりのない質問によって磨かれ、精度を上げて進化し、拡大するのを実感すること、それこそがエスターとわたしの使命だと確信している。そして、どうしてそれがわかるかといえば、**それが非常に気持ちのいいことだからなのだ。**

心を込めて　ジェリー・ヒックス

（編者の註　エスターが受け止めた見えない世界の思考は、必ずしも今ある言葉で適切に表現できるとは限らない。そこでエスターは、人生の古い見方に対する新しい見方を伝えるために、言葉の新しい組み合わせを用いたり、既にある言葉を新しいやり方――例えば普通なら使わないところで強調文字を使用するなど――で使っていることにご注意いただきたい）

エスターとエイブラハムの準備は整った

エスター　こんにちは、エイブラハム。とっくにご存じなことはわかっていますけど、今回もあなたがたの情報を伝えるのがとても楽しいということを、まずお話ししておきたいの。本を書いたりセミナーを開催したりするのは、わたしにとって素晴らしい経験です。あなたがたの教えがわたしを通じて伝わっていく感覚が大好きです。

これから毎朝数時間静かに座って、あなたがたにこの新しい本を書いていただこうと思っています。そのための絶好の環境が見つかったようです。こんなに美しくて気持ちのいい場所は初めてよ。何もかも最高の気分。こんなに気持ちがよくなったのは、最近あなたがたと「流れ」について——流れに逆らうか、流れに乗るかについて——話し合ったせいだと思います。

執筆にかかる前にちょっとだけおしゃべりして、あなたがたを愛していること、あなたがたと一緒に作業するのがとてもうれしいこと、そしていつまでも一緒に仕事をしたいと思っていることを伝えたかったのです。
さあ、わたしは目を閉じてゆっくりと呼吸し、あなたがたから受け取る言葉を書き留めます。

エイブラハム　エスター、これは興味深いプロセスだ。あなたもそう思うだろう？　あなたが受け取るなら、わたしたちのところには本一冊（それどころか無限の本）になるだけのストックがある。あなたがたの世界は（それにあなたとジェリーも）、その本を求めた。だから本は既に与えられ、「波動の預託口座」として、あなたがたが引き出すのを待っている。だから、時間を見つけ準備を整えて本を受け取るかどうかは、まさにあなたがた次第なのだ。

あなたがこうした創造の仕組みを感じ取っているのは知っている。あなたはいろいろな機会にわたしたちの言葉を受け取る準備をしてきた。だが今回、あなたは最近の多くの話し合いの経験を踏まえて、自分がどれほど貴重な役割を果たしているのかをよく認識した。誰にでも望むすべてが与えられている。だがそれを受け取り、目にし、所有するには、どんな条件のもとでも、あなたがたと望むものの波動が一致しなければならないのだ。

あなたは物質世界についての認識を手放して、エイブラハムである波動と調和し、同時にわたしたちのメッセージを受け取ってあなたがたの世界が理解できるものにするために物質世界とのつながりを維持し続ける。この両方が微妙に混ざりあわなければならない。

それには驚くべき安定性と明晰さが必要だが、あなたはそれを達成している。

さあ、また素晴らしい本の執筆を始めよう。

Part 1

引き寄せをガイドする〝感情の驚くべき力〟

◇第1章

地球という星へようこそ

あなたがたは今こうして、雄大な地球という星で素晴らしい身体をまとって生きている。今日はあなたがたが地球に到着した最初の日ではないが、わたしたちは「地球という星へようこそ」と歓迎したい。

もうあなたがたは地球でかなりの期間を過ごしているから、今さら歓迎すると言われても戸惑うかもしれない。だがこの人生や経験、そしてあなたがた自身に対する新たな視点を見つけてほしいから、わたしたちはあなたがたを歓迎しよう。

わたしたちは現在のあなたがたの人生経験をはっきりと見通しており、また一歩下がって、今のあなたがたとは違ったはるかに広い全体像のなかで、あなたがたとその人生を見ることができる。その広い視点から説明すれば、「生命という永遠のプラン」がどれほど完璧なものか気づいてもらえるだろう。

あなたがたは物質世界の身体としての誕生が自分の始まりだと思っているが、それはまったく違う。その感じ方は、映画館に行き、館内に入ったときが自分の始まりだと思うのと、ちょっと似ている。

物質世界にいるあなたがたは、「映画館に入るのと赤ん坊として誕生するのはまったく違う。映画館に入っても、それ以前に起こったことを忘れていない」と言うかもしれない。あなたがたは自分が何者か、映画館に入る前に何をしていたかを覚えている。映画館に入る「前」、館内に「いるとき」、そしてその「後」がずっとつながっていることをはっきり感じている。言い換えれば、「映画館に入って新しい人生が始まった」とは感じないのだ。

だが、わたしたちはあなたがたの認識を少し発展させ、今「自分」だと思っている身体として生まれ出たときにあなたがが「始まった」のではない、ということに気づいてもらおうと思う。この身体に宿る「前」の自分を思い出して、もっと広い意味での継続性に目覚めてほしい。さらに、その「広い視点」が今ここに焦点を結んであなたがたになっていることを自覚すると同時に、「本当の自分」が何者で、どうしてこの身体に宿ったかも思い出してほしい。その両方を「許容・可能に」してもらいたいと考えている。

それでもあなたがたは、「生まれたときとは違って、映画館に入るわたしは大人です。話すことも歩くことも、食べることもできますよ」と言うかもしれない。未熟な身体で生まれたのだから、それが始まりだと思うのは無理もないが、しかしそれは違う。**あなたが**

たが生まれ出た新しい身体と新しい環境は、非常に賢くて非常に古い存在が新しい方法で拡大し続けるための新しい機会を提供しているのだ。

あなたがたのなかで「本当のあなたがた」の「広い視点」が目覚めれば、今の人生経験は非常に高く評価されるだろう。大きな全体像のなかに位置づけて、地球という星での人生を見れば、不安は減り、本来の生きる情熱がほとばしるはずだ。

◇信頼の価値

そこでわたしたちは、広い全体像のなかであなたがたとその人生を見つめ、今のあなたがたにわかるように説明しようと思う。あなたがたはわたしたちの視点から見ることはできない……もちろんあなたがたがわたしたちの視点から見ることができれば、そのときにはもうわたしたちの説明も必要ないわけだ。

この章では、わたしたちの視点から、あなたがたのこと、わたしたちのこと、そして互いの関係について説明しよう。もちろん、わたしたちの見方を押し付けるつもりはない。だが、あなたがたがこれから始まる説明を読み、わたしたちを信頼しよう、説明を理解しようという気持ちでよく考えるなら、一緒に橋を築いていけるだろう。そして、本書を読み終えるころには、あなたがたもわたしたちの視点を理解し、身につけられるはずだ。それはわたしたちの力強い言葉があなたがたを変えるからではなく、わたしたちの言葉の論理とあなたがたの人生の展開があいまって、あなたがたの「信頼」や「希望」が「知識」に変わるからである。

絶対的な確信を持って自分という存在を、また存在理由を知り、「あなたがたであるすべて」を十分に認識することは、それはそれは素晴らしい在り方だ。そのときあなたがたは、生まれた目的に向かって進むことができる。**喜びに満ちて永遠に拡大し続ける生命を生きることができる！**

◇輝かしく楽しい地球という星

地球という星に物質世界の新しい身体として生まれようというのは、あなたがたにとって決して新しい思いつきではなかったし、実に心躍る考えだった。物質世界に生まれ出る前の見えない世界の視点で、あなたがたは新たな誕生の意味をすべて理解していた。自分がどんなに完璧で安定した環境に生まれるのかを理解し、その多様性に対して限りない熱意を感じていた。

あなたがたがいちばん感じていたのは、この環境が自由で無限だということだった。あなたがたは、これから到達する地球という星の多様な美しさを思ってワクワクし、同時にそこで待っている多様な人々や考え方の美しさを思って胸を躍らせた。物質世界の身体に宿る準備をしているとき、あなたがたは地球という星の居住者についてまったく不安を感じていなかった。一度だって、そこで人々を正す必要があるとか、過ちを指摘したり道を修正したりする必要があるとは思わなかった。

あなたがたは地球という星を多様で常に変化する完璧な場として見ていたし、言葉にならないほどの熱意を持ってここへやってきた。そして、しっかりと見通せる場所から来たからこそ、ここに来ることにも到着してからの環境にもまったく警戒心を持たず、心配もしなかった。あなたがたは新たな環境に対応できるだけでなく、永遠に続く喜びに満ちた拡大のために、環境を活用するリソースが自分にあることを知っていた。そのようにして、あなたがたはここにいる。それだけでなく、今読んだ言葉はすべて真実である。

あなたがたが物質世界の身体に宿る前に理解していたことを、もう一度思い出させてあげたい。そしてこの地球という輝かしい星で、本来あなたがたが意図したとおりに、素晴らしい身体で素晴らしい人生を経験させてあげたいと思う。

さあ、友人たちよ、地球という星にようこそ。

◇第2章

全体像を思い出す

あなたがたの感情の力と価値、それに感情をどう理解するか、指針として効果的に活用するにはどうしたらいいかを完璧に説明してあげたい。早く本書の核心に入りたいのはやまやまだが、まずその前にあなたがたの「永遠」なる性質について広い視点から話しておこう。

わたしたちの説明は、最初は違和感を覚えるかもしれないが、よく理解してしっかり自分のものにすれば、あなたがた自身が深く広いレベルで既にわかっていた見方だと気づくだろう。したがって、この言葉を覚えておくと役に立つはずだ。

「あなたがたは人生経験を物質世界の基準で考え、物質的な場所における物質的な事柄だと思っているから、見えない領域のことは『そんな場所はない《ノン・プレース》』と考えたくなるかもしれない。しかし、見えない世界はいろいろな面で物質的な世界と違っていて、物質世界の視点では正確に認識することはできないにしても、やはり存在するし、現実であり、広大だ。

それは純粋で前向きなエネルギーの場（というより、『場所ではない場所《ノン・プレース》』）である」

物質世界の身体に宿る前のあなたがたは、見えない領域について十分に気づき、認識していた。言い換えれば、今の自分を自分と認識するのと同じように、自分を認識していた。また今、物質世界の身体から世界を見て、自分個人の視点というレンズを通して解釈するのと同じように、「場所ではない場所《ノン・プレース》」という有利な場所においても、自分個人の力強い視点で見るものすべてを解釈している。「見えない世界のあなた」は永遠に拡大成長し続ける自分というアイデンティティを持ち、そのアイデンティティを通じて人生を認識している。そのすべてを見通せる立場から、あなたは「観察し」「考え」「想像し」「思索し」「知り」「感じている」。

あなたがたはその見えない世界の広い視点からやってきて、物質世界の身体に宿った。見えない世界の純粋で前向きなエネルギーという存在の延長としてやってきた。そしてこの世界に生まれて、あなたやほかの人が「あなた」と考える身体と個性をまとっているが、「見えない領域」の「意識ある存在」も依然として向こうに存在している。人がある思考を抱くとき、その思考とは別に考えた当人が存在しているように、「見えない世界のあなたがた」は、今のあなたがたを「思考」したが、考えられた「あなたがた」とは別に、見えない世界にも依然として存在している。言い換えれば、あなたがたがある思考を生み出すとき、その思考とは別に存在するあなたがたは、また別の思考を生み出すことができる。

さて、あなたがたは「見えない世界」という有利な視点から、物質世界のあなたがたを生み出した。「見えない世界」から物質世界に投影された思考の波動が収束して物質世界の身体になり、母親の胎内に宿って育ち、あなたがたが生まれた。こうしてかつては考えられイメージされた一つの思考だったものが、物質世界の現実になる。あなたがたという思考は、今や物質世界の現実だ。そして、その思考を生み出した「見えない世界のあなたがた」は「見えない世界」に焦点を置いたままとどまっていて、物質世界でのあなたがたの誕生によって、さらに充実した拡大成長を遂げる。

「見えない世界のあなたがた」が拡大成長するだけでなく、今のあなたがたには二つの力強い視点が備わっている。物質世界の視点と「見えない世界」の視点だ。そしてこの素晴らしい二つの視点のいずれにとっても、二つの相互関係ほど重要なものはない。あなたがたの人生とは要するに物質世界の視点と「見えない世界」の視点、それにこの二つがどのようにからみあうかであり、それに尽きる。

わたしたちが本書を書いているのは、感情という驚くべき力を発見することを通じて、またその力を発見することによってのみ、「見えない世界の自分」との関係をはっきり理解できることをわかってほしいからである。

◇「内なる存在」とあなたがたの関係

さて、物質世界のあなたがたと「見えない世界のあなたがた」という重要な二つの側面について話してきたわけだが、これからは「見えない世界のあなたがた」のほうを「内なる存在」とよぶほうがわかりやすいかもしれない。「内なる存在の『源《ソース》』」「魂」あるいは「神」とよんでもいいのだが、それがあなたがたの根源《ルーツ》で、あなたがた自身のなかに感じとれることを考えれば、「内なる存在」とよぶのがふさわしいだろう。

あなたがたの「内なる存在」が、「見えない世界」の視点から物質世界に「意識」を投影して、あなたがたは生まれた。今、あなたがたはここで生きて呼吸し、考え、存在している。同時に「内なる存在」も生きて、考え、存在している。

あなたがたという焦点が結ばれているこの時間と空間を、わたしたちは「思考の最先端」とよびたい。もっと広い「見えない世界」の「内なる存在」の一部がこの世界の人生経験へと延びてきていることを考えれば、あなたがたが生きているこの物質世界の領域は確かに「源《ソース》」の最先端であるとわかるだろう。

人間は物質世界以前の自らの始まりについてさまざまな信念を抱いているが、その多くに共通して織り込まれている糸がある。ところが、その信念は実際には事実と正反対なのだ。その間違った信念とは、「神」は「見えない世界の存在」であってそれゆえに完璧であり、完璧であるがゆえに完成されていて、人間が物質世界で生命を与えられたのは努力して神の完璧さを獲得するため、あるいは神に追いつくためだ、という考え方だ。

忘れないでほしいのは、物質世界の身体に宿っているあなたがたは、人間が「神」とよぶものの延長だということだ。あなたがたが「神」（あるいは「源《ソース》」）の延長の最先端だからこそ、「神」もあなたがたのおかげで、あなたがたを通じて、あなたがたとともに拡大成長を経験する。

この「見えない世界のソースエネルギー」を指して「神」という言葉を使うと、人々はどうしても自分たちが抱いているイメージを連想するので、わたしたちが示そうとしているもっと深い真実を見損なってしまう。そのため、わたしたちは「見えない世界のソースエネルギー」を表すのに、あまり「神」という言葉を使わない。「神」という言葉を聞くと、あなたがたの多くは既成概念にとらわれる。だから、「神」というよび名の代わりに「源《ソース》」を使おう。この「見えない世界の『源《ソース》』」は、あなたがた自身がその存在に、あるいはその存在とのつながりに気づかなくても、いつもあなたがたを通じて拡大成長を経験している。

◇第3章

宇宙はあなたがたを通じて拡大している

つまり、あなたがたは「見えない世界のソースエネルギー」だった（今でもそうだが）。そしてその「見えない世界」の有利な視点から、自分の「意識」の一部を物質世界の身体へと投影した。その結果としてあなたがたはここに存在し、この「最先端」の時空の現実の素晴らしいディテールとコントラストを探求している。

さて、物質世界の身体に宿ったあなたがたは、コントラストに満ちた人生経験の具体的な素晴らしいディテールに取り囲まれ、五感を通じてそのディテールを認識する。そしてあなたがたそれぞれが日々、節目節目を生きて人生を認識することを通じて、宇宙はさらに拡大成長していく。

あなたがたは五感を通じて世界を認識する。目を通じて世界を見、耳を通じて世界を聞き、匂いを嗅ぎ、味わい、触れる。言い換えれば、自己という大切な個人的視点を通じて世界を見るしかない。自分の視点で人生を認識するというこの自然なプロセスのなかで、

「自分はこちらのほうがいい」という新たな好みや願望が生まれる。言い換えるなら、自分自身の視点で人生を生きることによって、もっとよいものを発見していく。

物質世界の友人たちの多くは自己中心的という考え方を好まないが、それは人生の基本的な原則を誤解しているからだ。あなたがたは自己中心的でしかあり得ない。自己中心的でなしに観察し、認識し、存在することは不可能だ。どの「意識」も、たとえ単細胞生物であっても、認識する。それもそのときどきの、常に変化し続ける自己中心的な視点で認識するのだ。

◇あなたがたは言葉なしでも創造している

日々生きて経験し、また他人の経験を観察するなかで、あなたがたは「望まない」と確信するものに出会う。そのとき、逆に「自分は何を望むのか」が明確になる。ときにはその体験があまりに劇的なので、こう叫ぶかもしれない。「こんなことは望まない！　おかげで、自分が本当は何を望んでいるかがよくわかった……」

望まないものにぶつかれば、自分が望むものがいっそうはっきりする。だが、意識しているかいないかにかかわらず、あなたがたは思考の「最先端」で生きており、その人生のディテールから毎日新しい願望が生まれている。

ほとんどの人たちは、この拡大のプロセスに気づいていない。こうして説明されてもまだ、それが自分の人生経験にとって具体的にどんな意味を持つのかわからないだろう。だが、この身体に生まれる前は「見えない世界の視点」から見ており、拡大が不可避であることを知っていた。それどころか、こんなにワクワクする楽しいことはないと思っていた。なぜなら、宇宙の拡大はすべてそうやって起こることを理解していたから。地球という星での最先端の経験が契機となって自分のなかで拡大が起こること、この甘美なコントラストに満ちた時空の現実こそが「永遠」を「永遠ならしめて」いることをあなたがたは知っていた。もちろんあなたがたは「見えない世界」の視点から創造と拡大の全体像を見通していた。だからこそ、わたしたちはここであなたがたにそれを思い出させようとしているわけだ。

◇「内なる存在」は新しい願望とともに進む

したがって、あなたがたが新たに拡大した望みを意識するかしないかにかかわらず、コントラストに満ちた人生を生きるにつれて新しい願望が生まれることになる。自分が何を望まないかを知るプロセスで、「何を望むのか」という拡大した考え方が明確になり、「内なる存在」（あるいはあなたがたのなかにある「源《ソース》」）はその新たに拡大した思考に関心を集中する！

さて、創造とは何か、そして物質世界の人間としてのあなたがたが「最先端」で果たす創造的な役割とは何か、という物語のなかで、いちばん大切な部分はここだ。日々生きていくことで、**あなたがたのなかに新たな「もっといい人生のバージョン」が生まれるとき、あなたがたはその新しいバージョンに自分を同調させるか、それとも抵抗するかを選択する。**実はその選択が本書のテーマである。しかしもっと大事なのは、その選択によって人生が楽しくなるか、あるいは惨めになるかが決まることだ。その選択が、「拡大成長した自分」になることを楽しく許容するか、それともしないかの分かれ道だからである。

この物質世界の身体に生まれる前、あなたがたは「見えない世界」の視点（あるいは「源《ソース》」の視点）から、次のことをよく理解していた。

・あなたがたは、物質世界の身体として焦点を結ぶだろう
・あなたがたは、さまざまなコントラストに満ちた世界で生きるだろう
・そのコントラストが刺激になって、自分のなかにもっといい、拡大した新しい考え方が

生まれるだろう
・もっと広い「見えない世界」の自分（「内なる存在」）は、その新しい考え方を全面的に受け入れ、文字どおりその波動と同じになるだろう

◇常に思考が先行する

存在するすべての創造に先立って、常に思考がある。あなたがたのまわりにあるすべては、かつては思考あるいはアイデアだった。つまり、波動としての概念が物質的現実とよばれるものに結実したのだ。

どんな創造でも、その最先端から振り返って始まりを完全に理解することはできないが、あなたがたが現実あるいは具体的な形として見るもののすべては、かつてはある考えであり、それが十分な思考期間を経て「引き寄せの法則」によって結実した結果、あなたがたに見える形になって存在している。この創造のプロセスに、例外はいっさいない。

地球というあなたがたの星は、あなたがたが人間とよぶ者が現れるよりはるか以前に「見えない世界」の領域で思い描かれ、その考えに（人々が「源《ソース》」とよぶ）「見えない世界」の焦点が結ばれ、やがて素晴らしい最先端の時空というあなたがたの現実が創造された。つま

り、まず思考があり、それにさらにもっと多くの思考が注がれ、その思考が形をとり始めて、ついに人間が「現実」とよぶものが出現する。これと同じように、「源《ソース》」の延長として物質世界の身体に宿っているあなたがたも、思考を通じて地球という星とそこにおける人生を創造し続けている。

自分が何を望まないかを知るとき、何を望むかがもっと明確になり、今の人生とは対照的なもっといい考え方が生まれる。日々、一瞬一瞬に、人生経験のディテールを経験しながら、あなたがたは常にさまざまな波動を(これをわたしたちは「願望のロケット」とよぶ)外に向けて打ち上げている。その願望の波動ロケットが打ち出されるたびに、あなたがたの内なる「源《ソース》」――あなたがたがそこから生まれ、今も「見えない世界」の視点から焦点を結び続けている「源《ソース》」――は、新たに拡大された人生のバージョンに集中的に焦点を結び、先取りして、それに「なる」。あなたがたは生きていくなかで、自分が何を望むかについて、言葉になるレベルとならないレベルの両方で、次々にもっといい、新しい結論を出していく。この終わりのないプロセスが続くことで、あなたがたのもっと広い「見えない世界」の部分が拡大していく。

「もっとよくなりたい」と思う希望や夢や意志や考え方は、いわば「波動の預託口座」に貯えられていく。この預託口座は、あなたが望めば保存され、きちんと管理され、育てられて、引き出されるのを待っている。保存されているだけでなく、あなたがたの大きな部分、「内なる存在」は既にその願いに「なり」、常にまた永遠に物質世界のあなたを呼び寄せている。つまり「見えない世界のあなたがた」は物質世界のあなたがたに、「自分のなかで生まれた思考を完成させなさい」と呼びかけている。その呼びかけの最も純粋で抵抗のない形、それがあなたがたが感じる情熱や意欲だ。

そこで、いちばん大切な質問がこれだ。「あなたは自分をこの新たに創造され拡大されたバージョンの『自分』に同調させているか?」この最も重要な問いに対する答えは、あなたがたの感じ方にある。気持ちよく感じれば感じるほど、あなたは二つの自分のつながりを「許容・可能に」している。嫌な気持ちでいるなら、そのつながりを許容せず、抵抗している。

愛や喜びなどの前向きな感情を感じるとき、あなたは文字どおり、人生がそうなるように仕向けた、拡大した「存在」に「なって」いる。不安や怒りや絶望などのネガティブな感情を感じるとき、あなたはその瞬間に関心を向けている思考のせいで、新しく拡大したバージョンの自分になることを妨げている。そうなるはずの自分になっていないのだ。

◇第4章

あなたは波動として存在している

あなたがたは現在の環境を五感を使って認識する。この環境認識はごく自然に、意図的に関心や焦点を向ける必要なしに行われるので、物質世界の友人たちのほとんどは、見て聞いて嗅いで味わって触れた波動を自分が解釈していることに気づいていない。

テレビを見るときには、小さな箱や薄いスクリーンのなかでミニチュアの人生が演じられているとは思わない。受像機が信号を受け取り、画像に変換してモニターに映し出し、それを自分が見て楽しんでいると知っている。ぴったりのたとえではないが、あなたがたもこれと似たようなものだと考えてほしい。**あなたがたは波動の信号を受け取り、それを五感を通じて自分が生きる現実に変換している。そして、ほかのたくさんの波動の存在と交流しながら、ともにたぐいまれな現実を創造し続けている。**

あなたがたは、物質世界の賢明な友人たちから目を使う訓練を受けなくても見ることができる。聞くこと、嗅ぐこと、味わうこと、触れることも自然にできるから、「どうすればいいのか」話し合う必要もない。言い換えれば、あなたがたが宿った物質世界の身体は、波動を意味ある人生経験に変換する知識を細胞のなかに持っている。

◇あなたがたには第六感がある

あなたがたが知っている身体の五感のほかにもう一つ、あまり知られていない知覚、すなわち感情という知覚がある。

この第六感も五感と同じように、生まれたとき、あなたがたのなかで活動し始める。感情が存在することはなんの訓練も受けなくてもわかる。見たり、聞いたり、嗅いだり、味わったり、触れたりする方法を誰にも教わらないように、自分に感情が「ある」ことはなんの訓練もなしに認識できる。それどころか、あなたがたが感情に気づいていることは人生経験を語る言葉のはしばしからも明らかだ。あなたがたはよく、あれこれの事柄やそれについてどう「感じている」かを説明する。「気持ちが傷ついた」「幸せだと感じる」「嫌な気分だ」「孤独を感じる」「後ろめたく感じる」と。

感情はあなたやあなたがたが知っているすべての人たちの人生経験で大きな役割を演じているが、その驚くべき力と価値を理解している人は少ない。わたしたちはこの本を通じて、あなたがたが自分の感情を十分かつ意識的に理解できるように助けてあげたいと思う。感情が存在しているとはどういうことか、感情は何を意味しているか、そして何より大切なことに、感情の認識を上手に活用するにはどうすればいいか、わかってほしい。感情は自分を「拡大した自分」とどうブレンドさせているかを示す指標なのだから。

◇では、全体像に戻ろう

「見えない世界」が焦点を結んであなたがたは生まれた。そして今も「見えない世界」が焦点を結んであなたがたは存在する。あなたがたは「見えない世界の意識」の一部を物質世界の身体に投影し、そしてこの世界に生まれた。あなたがたは身体的な知覚を活用して環境を認識し、常に新たな願望のロケットを生み出している。同時にあなたがたとして焦点を結んでいる「見えない世界の部分」も依然として存在し、あなたがたの新しい望みを見て取り、十分な関心をそこに注ぎ、文字どおりそれに「なる」。そして新しく拡大したバージョンのあなたと等しい波動が出現する。

日々、物質世界での経験があなたを拡大させる。誰かと出会うたび、何かを読むたび、何かを見るたび、何かを経験をするたびに、あなたがたはいつも願望のロケットを生み出す。誰かに失礼な態度をとられたら、もっと親切にしてほしいと願う。誰かに誤解されたら、理解されたいと願う。お金が、健康が、友情が十分でなかったら、もっとそれが欲しいと思う。**人生は常に、もっともっと、多く、大きくなりたいとあなたがたに思わせる。**言い換えれば、あなた自身の基準と判断に照らして新しく向上した自分が常に生まれ続けるのだ。あなたがたの「見えない世界の部分」はいつも、あなたがたが求めるあなたがたになり続けている。

◇第5章

感情は絶対的な指標

今経験している人生で、お金、時間、明晰さ、スタミナなど何かが十分でないと気づいたとき、願望が生じる。何かが欠けていると知ったとき、自分の願望に以前よりはっきりと気づく。言い換えれば、病気の最中には常に健康への願望が強くなる。日々願望が生じるたびに、あなたがたの「見えない世界の部分」が拡大する。新しい考え方や願望が生じるたびに、その部分は新しい願望に流れを合わせるからだ。

あなたがあなたの内なる部分と同じくらい「自分が何者なのか」を確信していれば、新しい考えに集中的に関心を注ぐことができる。そうすれば人生への情熱を感じ、心が明晰になり、身体も信じられないくらい元気になる。言い換えれば「拡大した自分」に自分を合わせていれば、「拡大した自分とのつながり」は最高に楽しくて心地よいものになる。逆に、既にそうなっている自分に自分を合わせないでいると、その抵抗感から不快な気分になる。

一瞬一瞬に感じる感情は、あなたと「拡大したあなた」の波動の関係を表す指標だ。感情は、その瞬間に活動している思考と波動が「拡大した『源《ソース》』である自分」の波動に一致しているかどうかを教えてくれる。波動の信号が一致していれば——あるいはほとんど一致していれば——素晴らしい気分になる。一致していなければ、あまり気分がよくない。だからどんな感情を抱き、それが何を意味するかに気づくことが、意識的な拡大成長には不可欠だ。わかりやすく簡単にいえば、**この地上に生まれた目的である楽しい人生を送ろうと思うなら、人生がそうなるようにし向けた自分に自分自身を合わせる方法を見つけなければいけない。**

◇あなたは常に拡大する

自分の人生経験を観察して、「したいことをするのに十分なお金がない」と気づいたら、お金への願望が大きくなり、あなたの「波動の預託口座」はその願望を取り入れて拡大する。一日に起こるさまざまなことを通じて、あなたは「もっとお金が欲しい、必要だ」と気づき、それによって金銭的な豊かさに関する願望はさらに修正される。

人生経験を観察して、「自分の身体は自分が望むようには見えない、感じられない」と気づいたら、身体的条件を改善したいという願望が大きくなり、「波動の預託口座」もその願望を取り入れて拡大する。

職場での人間関係を通じて、「自分は評価されていない」と気づいたら、「評価されたい」という願望が大きくなる。自分がしていることに飽きたら、「もっと刺激的なことをしたい」という願望が大きくなる。職場の誰かが昇格、昇給したら、「自分ももっと認められたい、評価されたい」という願望が大きくなる。**有意義な人間関係を持てないでいたら、それに対する願望が大きくなる。現在の人間関係に苦労していたら、「もっと楽しい人間関係」に対する願望が大きくなる。**

起きている間の一瞬一瞬に、あなたは人生のさまざまなディテールをデータとして活用して拡大する。そして、この拡大は常に起こっている。人生のディテールについて考えるたびに、あなたはもっと向上したいと求める波動を出し、あなたのもっと広い部分（「内なる存在」「源《ソース》」）は先取りして、人生によって仕向けられた拡大したあなたに「なる」。

◇大事なのは思考を整えること

本書ではこれまで何度か、「この地上に生まれた目的である楽しい人生を送ろうと思うなら、人生がそうなるように仕向けた自分に自分自身を合わせる方法を見つけなければいけない」と説明してきた。これは貴重なこの本のテーマであるだけでなく、あなたがたの楽しい人生経験の基本でもある。

欲しいものが十分でないとそれへの願望が大きくなることについては、反論する人はあまりいない。さらに自分が本当に何かを欲しているとわかっていたら、それが手に入ったときは気分がよくなることにも疑問はないだろう。だが以上のことと、喜ばしい人生を送るために理解してほしいとわたしたちが思っていることには、きわめて重要な違いがある。**願望の実現とは「行動のプロセス」ではなく「精神的なプロセス」だということ、大事なのはなんらかの結果を達成するための行動ではない、ということである。**

あなたがたが人生でもっとお金が欲しいと気づいたとき、わたしたちは「もっと稼ぐためにアルバイトをしろ」とか、「何かほかの仕事をしなさい」とは言わない。

あなたがたが人生で自分は20キロ以上も体重が多すぎると気づいたとき、わたしたちは「体重を減らすために厳しいダイエットをしろ」とか、「集中的に運動しなさい」とは言わない。

あなたがたが職場で評価されていないとき、わたしたちは「もっと評価しろと誰かに要求しろ」とか、「今の仕事を辞めてもっと簡単に評価される職業を探しなさい」とは言わない。

「人生がそうなるように仕向けた自分に自分自身を合わせる」とは、行動することではない。そうではなく、思考のエネルギーを整えることなのだ。そういう願望を生み出した現在の状況を振り返るのではなく、自分が望む方向へ集中的に関心を向ける。たぶん、いずれはなんらかの行動をとりたいという気持ちになるだろうが、まずは思考のエネルギーを整えること(波動の調整)を心がけるべきなのだ。

波動の調整ができていれば、そこでやる気になった行動はとても気分がいいはずだ。

波動の調整ができていなければ、どんな行動も難しいだろう。

波動の調整ができていれば、努力のすべてが素晴らしい結果を生み出し、努力しただけの実りをもたらしてくれる。

波動の調整ができていなければ、努力しても結果に失望するし、「やっぱりうまくいかない」とがっかりするだろう。

◇第6章

波動が調整できれば気持ちが楽になる

「波動の調整」とわたしたちが言うのは、あなたがた自身のプロセスを指しており、ほかの人の行動とはまったく関係がない。こう言うと、ときに疑問を持つ人がいる。多くの人たちは他人との関係のせいで問題が起こっていると思っている。だから聞く。「それじゃ、そういう人たちについて何かする必要はないんですか？」

確かにあなたがたはほかの人と関係しているし、その関係が不快な問題のもとになっていることも多いが、その人たちに変われと要求しても解決にはならない。ほとんどの他人は自分を変えようとは思っていないし、たとえ思ったとしても、あなたの気分をよくするためにいつもあなたの要求どおりに変わることなどできはしない。あなたがいい気分でいたければ、自分のなかのエネルギーを調整するしかない。前にも言ったとおり、あなたがたのもっと大きな部分が先取りして既になっている自分、その自分に自分自身を合わせることが大切なのだ。

例えば、あなたが完璧にすてきな一日を過ごしているとしよう。よく休養できたし、食事もおいしく、幸せな気持ちで楽しいプロジェクトに参加している。そこへあなたが大切に思う誰かが、問題を抱えてやって来る。問題があるだけでなく、その相手はあなたが問題をなんとか解決すべきだと思っている。その相手は配偶者かもしれないし、子どもたちの一人かもしれないし、従業員、クライアント、友人、あるいは知らない誰かかもしれない。この例では、あなたが愛して大切に思っている従業員同士が人間関係のトラブルを起こしたとする。

相手の説明を聞きながら、あなたは幸せな気分があせ、活力が低下し、気持ちが曇ってくるのを感じる。あなたは悲しくて、疲れて、混乱した気分になり、丁寧に相手の話を聞きながら、急いで解決策を探す……状況を説明する相手の言葉を聞きつつ、自分自身も巻き込まれているのを感じる。そして、問題をどう解決すべきかという合理的な決断をするには、知識も時間も情報も不足していると気づいて気落ちする。状況をはっきりさせるためにもっと情報を集めたい、関係者の話も聞きたいと思う。だが、さらに話し合いを重ね、方針や行動の変化を提案しているうちに、気分はますます重くなる。

話を聞いて話し合いを重ねれば重ねるほど、状況について大勢と話し合えば話し合うほど、自分が状況を解明できず、事態がますます混沌としてくるのを感じて、あなたはいっそう無力感を覚える。あなたには思い切った決断をする力があるが（相手が従業員なら、全員を解雇してまったく新しい人々を雇うことができる）、それもやはり徒労に終わるだろうと思う。

普通は気づいていないが、こういう状況には拡大の素晴らしいチャンスがある。このような不愉快な混乱のさなかに、拡大した願望のロケットが生まれるからだ。この状況の各部分で自分が何を望まないかがわかるから、あなたはそれとは逆の願望のロケットを打ち上げ、もっと広い「見えない世界の部分」のあなたが、拡大した願望と「波動を一致」させる。今感じている不快さ（それは従業員の不満への反応のように思える）は、実はトラブルに関する今の思考と、「内なる存在」が新たに取り込んだ拡大した願望との落差のせいなのだ。

今、あなたの波動は乱れている。波動が乱れたままでは、どんな「行動」をとっても問題は解決しないだろう。波動が乱れていれば、効果的な行動や言葉どころか、いい思考もアイデアも見つからない。実際、波動が乱れたままで何かを試みても事態は悪くなるばかりだろう。

わたしたちが物質世界のあなたがたの立場なら、ひたすらたった一つの結果を目指す。なんとかして、もっと気持ちがよくなる方法を探すのだ。その不愉快な問題について、なんとか感情的に楽になる道を探そうとベストを尽くす。なぜなら、感情的に楽になればエネルギーが整い始めているからだ。

◇流れのなかのカヌー

オールを積んだカヌーを川に浮かべていると想像してほしい。あなたはカヌーの舳先を上流に向け、流れに逆らって必死に漕ぎ始める。あらん限りの力で流れに逆らって漕いでいるあなたに、わたしたちが尋ねる。「舳先を下流に向けて、流れに乗ったらどうかな?」するとたいていはこう答える。「下流に向かう? だって、そんなのは怠けてるみたいじゃないか!」

「しかし、そんながんばりがいつまで続くだろう?」と、わたしたちは聞く。

「さあ、わからないが」と、たいていは答える。「だけど、がんばれるだけがんばるのが義務、というか責任なんだよ」

さらに見ていると、たいていの人たちはこう説明する。「ここでは、みんながこうしているんだ」「母もそうしたし、母の母もそうだった」「それなりの人なら誰でも、一生懸命に流れに逆らって努力するものだよ」「トロフィーや記念碑はみな、流れに逆らってがんばり続けた人たちの栄誉を称えているじゃないか」

「それに」と人々はよく言う。「こんなふうにがんばれば、死後にさらに素晴らしい報いがあるんだ」

見ていると、あなたがたは流れに逆らうのがだんだん上手になる。筋肉が発達し、舟の形がスマートになり、効率のいいオールが見つかる。わたしたちは流れに逆らって漕ぐことを正当化するさまざまな言い訳に辛抱強く耳を傾けるが、しかしいつも物質世界の友人たちにとって最も大事なことを語り続ける。それは、**「上流にはあなたがたが望むものはない！」**ということだ。

上流にはあなたがたが望むものは何もないと断言するのは、わたしたちが「川」を理解しているからだ。わたしたちはその水源を見ているし、水かさを増し、流れが速くなっていくのを見ている。その「川」がなんなのか、なぜそんなふうに流れるのかを知っているし、あなたがたさえその気になれば「川」がどこへ連れて行ってくれるかも理解している。

それは「生命の川」で、あなたがたが物質世界の身体に宿る前から流れている。地球という星の上の身体に宿ろうと決めたとき、あなたがたは見えない世界の視点から、この流れの速い「川」にさらに流れを足すことにした。そして今、物質世界の身体に焦点を結んだあなたがたは、人生のデータのなかを移動しつつ自分が何を望まないかを決めることで（したがって自分が何を望むかをはっきりさせることで）川に流れを加える。**大きい欲求でも小さな欲求でも、**あなたがたが何かを求めるたびに、川の流量は増し、流れは速くなる。

あなたが今の人生以上の何かを望むとき、あなたの「見えない世界の部分」は願望のロケットに乗って飛び立ち、文字どおり先取りしてあなたの願望の波動を実現する。あなたが何かを問い掛け、その答えが生まれるたびに、あなたの「内なる存在」はその答えに焦点を結ぶ。あなたが問題にぶつかり、解決策を見いだすたびに、あなたの「内なる存在」はその解決策に焦点を結ぶばかりでなく、文字どおりそれと同じ波動になる。

あなたさえ「許容・可能にする」なら、この流れの速い川は、人生があなたに創造するように仕向けたすべてが実現する下流へと運んでくれる。すべては一種の「波動の預託口座」として下流にあり、あなたが流れ着くのを待っている。

◇あなたの「内なる存在」は「既にそうなって」いる

生きているうちに今以上の何かを望みたくなったとき、あなたの「もっと広い見えない世界のソースエネルギー、内なる存在」の部分は、求めるものと同じ波動になる。前に、「あなたがたは常に拡大する存在であり、あなたがたが何かを望むように人生が仕向けるたびに、あなたがたの『内なる存在』は先取りして拡大したあなたになる」と言ったとおりだ。

「引き寄せの法則」は宇宙で最も力強い法則だ。この法則は存在するすべての波動に働いている。存在するすべては、見えるものも見えないものも、触れるものも触れ得ないものも、電子も物体も、物質世界も見えない世界も、この力強い「宇宙の法則」の影響を受けているだけでなく、その支配下にある。簡単に言えば、「引き寄せの法則」は「それ自身に似たものを引き寄せる」ということだ。進んだ電子物理学の研究でも、習慣的な思考が引き寄せる状況や経験はそれぞれの気分や姿勢と完璧に一致するという一般的な知見であっても、人はこの強力な「法則」の基本を経験的に知っている。

この強力な「引き寄せの法則」は、あなたがたの大きな部分が先取りして既にそうなっている波動に対して働く。そして、拡大したあなたの波動に「引き寄せの法則」が働くと、流れが起こる。「生命の川の流れ」とは、拡大したあなたがたという「存在」の波動に「引き寄せの法則」が働いて起こる勢いだからである。

そこで、本書が答えようとしている大きな問題は、物質世界にいるあなたがたはこの拡大した自分の波動とどうかかわるのか、ということだ。拡大した自分の波動のスピードに自分を合わせるのか、それともそうしないのか？

◇第7章

あなたと「拡大したあなた」の波動のギャップ

人生はあなたが拡大するように仕向け、「引き寄せの法則」は拡大したあなたの波動に働く。あなたは、そのエネルギーの動きに対する自分の反応を意識的に感じ取ることができる。

それがあなたの感情だ。この瞬間にあなたが考えていることと、「もっと大きなあなた」の波動が調和していれば、あなたは前向きな感情という形でその調和を感じ取る。だがこの瞬間の思考が「もっと大きなあなた」の波動と調和していないと、その乱れは否定的な感情となって現れる。

そこで「川」に浮かべたカヌーのたとえに戻ろう。あなたが抵抗せずに自由に「川」を流れていれば、そして今のあなたと「拡大したあなた」のギャップを縮めていれば、その調和は前向きな感情という形で感じられる。だが、流れに逆らって漕ぎ続け、拡大成長への自然な流れに抵抗し続ければ、「川」と「もっと広い部分が先取りしてそうなっている自分」への抵抗は、否定的な感情という形で示される。

◇指針としての感情のパワー

知らない誰かから連絡があり、「こんにちは、あなたはわたしを知りません。でも、もう二度とあなたに連絡することはないことを知らせたいのです」と言われたら、あなたは「ああ、そうですか」と答えるだろう。その知らない誰かから二度と連絡がないと思っても、別に悲しくもなければ失望もしないだろう。だが、自分にとって大切な人が同じことを言ったら、あなたは非常にネガティブな感情を抱くだろう。

あなたの感情は望むことと今の考えの波動の違いを常に示している。感情は願望と信念あるいは願望と予測の違いを教えている、といってもいい。わたしたちはよく、「感情はあなたが先取りして既になっている自分と、今の思考によって『許容・可能に』している自分との波動の関係を示している」と説明する。

例えば自分に誇りを感じているとき、誇りの感情はあなたの「内なる存在」の波動(あるいは思考)と、今ここにいるあなたの波動(あるいは思考)が調和していることを教えている。恥ずかしさや戸惑いは、あなたが今自分自身について考えていることが、あなたの「もっと広い部分」が抱いている思考と大きく違っていることを意味している。

感情の意味を認める前に、そして感情が与えてくれる正確で完璧な指針を受け入れる前に、あなたは常に関係しあう二つの視点を持った「存在」であることを理解しなくてはいけない。「内なる存在」(あるいは、あなたがなりつつある「拡大した存在」)は人生の集積の最先端で、こちらへおいでと常に呼びかけている。それが理解できれば、拡大した自分に向かって前進しているときに、なぜ情熱や意欲を感じるかもわかるだろう。さらに、拡大した自分に向かう動きを許容しないと、なぜ不満や不安、落ち着かなさを感じるかもわかるはずだ。

ほかに方法はない。喜びを感じるには、人生がそうなるように仕向けている自分になることを自分に認めなければならない。また、喜びを感じないなら、あなたは人生がそうなるように仕向けている自分になることを自分に認めていない。

◇感情は調和の度合いを表す

あなたがたも経験で知っているように、何が起こっているか、何を見ているか、何を考えているかで、いろいろな感情がわく。いい気分でも嫌な気分でも、感情はもっと「大きなあなた」と今のあなたの波動の関係を示す指標だ。あなたの感情は、あなたが「既にそうなっている自分」とどこまで調和しているかを表している。この瞬間、あなたが自分自身と調和しているかどうか、それを感情は示している。

長い時間のうちに、あなたがたはいろいろな言葉で感情や気持ちを表現するようになった。何世代もの人々がさまざまな経験をし、大勢の人たちがさまざまな感情を抱いてきたので、いつの間にか人が感じていることとそれを表す言葉について共通の理解が出来上がった。

不安や憎悪や怒りよりも、熱意や愛や喜びを感じるほうがずっといい、とわたしたちは思っている。だが、そのような感情の波動の理由を知っているから、あなたがたを不安からいきなり喜びへと導こうとは思わない。二つの波動の違いはあまりに大きく、一挙にその距離をなくすことは難しい。それにいっぺんに飛躍しなければならない理由もない。徐々に、もっといい気分へと移っていくことこそが必要であり、また可能だからだ。

◇上流にはあなたが望むものは何もない

あなたの周りに見えるものは（土地、空、川、建物、それに人々や動物さえも）、今見えるような物質になる前は、思考であり波動だった。ほとんどの人たちは気づいていないが、あなたがたは思考の「最先端」に位置している。さらに、あなたがたは簡単に波動を視覚や聴覚、嗅覚、味覚、触覚で変換しているので、たいていはその変換プロセスにも気づいていない。それが人生で、あなたがたはそうやって生きている。

しかし、まわりに形として見える物質はすべて、まず「波動としての思考」であり、次に「形としての思考」になり、最後に今見るような「物質」になったのだということがわかれば、創造の大きな全体像が見えてくるだろう。そうすれば、あなたがたが「人生の実体験」とよぶものがどうやって起こるのかがもっとはっきりするし、さらにすべてのものがそこから発し、その上をすべてのものが流れている「川」を感じることができるだろう。

わたしたちが「上流にはあなたが望むものは何もない」というのは、あなたがたの願望はもう実現しかかっている、という意味だ。エンジンがなくても、押さなくても、丸い物体が自然に坂を転がっていくように、あなたがたの願望もある意味では自然にそれ自身の結果に向かって転がっていく。いったん願望が起これば、あなたの仕事は終わりだ。あとは自然の力と法則に任せればいい。

この自然な発展のパターンは、川の流れにたとえればいちばんわかりやすいだろう。大きくても小さくても、あなたがたの要求は川に流れを足すことになる。そして文字どおりあなたがたが求めたすべては下流にあり、そこでは望むものを簡単に発見し、経験し、所有し、生きることができる。

◇第8章
人生の流れは自然のサイクル

わたしたちが川に浮かべたカヌーのたとえを好んで使うのは、流れに逆らって漕ぐことがどれほど無駄か、よくわかるからだ。自分がソースエネルギーで、その「源《ソース》」からこの身体に宿ったこと、この身体として生きて最先端の願望を生み出している——それを受けて「源《ソース》」はその願望を実現し、そこへあなたがたを呼び寄せる——ことを思い出せば、人生という川をよく理解できるだろう。

この重要なことをよくよく考え、自分の考え方のなかに取り入れて生きる基本にすれば、あなたがたはこの身体に宿ったときに抱いていた目的を実現できる。そうすれば、本来の目的である喜びに満ちた人生を生きることができる。

・生まれる前、あなたは「源《ソース》」の視点から、物質世界のこの身体に宿ろうと考えた
・あなたは「源《ソース》」の視点から、「あなた」という考え、思考を生み出した

・その考えに「引き寄せの法則」が働いて、物質世界の「あなた」が誕生した
・この身体に宿ったあなたは、人生という考えを拡大させる
・その考えに「引き寄せの法則」が働いて、その思考を現実化する
・今の視点から、また別の考えが生まれる
・その考えに「引き寄せの法則」が働いて、勢いが生じる
・「引き寄せの法則」が思考に反応して生じた勢いが「人生の川」の流れである

自分という「存在」が「永遠」であることを意識して受け入れるなら、終わりのない拡大という考え方も簡単に理解できるだろう。

自分が永遠に拡大し続ける「存在」であることを意識して受け入れるなら、この素晴らしく多様な物質的環境のなかで生きていることも、そこでは常に新しい思考が生まれ続けていることも、完璧に理にかなっていると感じるだろう。

自分がこの世界に焦点を結んだ物質的存在であると同時に、「永遠の存在」でもあることが理解できれば、創造のプロセスはいっそうはっきり見えてくるだろう。

物質世界の人生によって生み出される拡大した考え方に、あなたがたの「内なる存在」が常に反応していることを思い出せば、この「川」の流れがどうして勢いを増すかもわか

るだろう。

そして最後に、「引き寄せの法則」が世界を創造したのと同じエネルギーで最先端の思考に作用していることが理解できれば、「川」の流れの勢いをますます感じ取れるだろう。

わたしたちは広い視点から見て、「宇宙の法則」も、あなたがたがそのなかで重要な場所を占めていることもよく知っているので、望むすべてはこの輝かしい創造の流れの先にある、と教えてあげている。本来受け継いでいて当然の幸せのなかでリラックスするとき、あなたがたは物質世界に生まれる前に意図していたとおりの人生を生きられる。

◇ただオールを手放せばいい

たいていの人は、自分がいるところと行きたい場所との距離を計算しようとする。「あとどれくらい旅をしなければならないのか？　あとどれだけがんばらなければならないのか？　あとどれだけ体重を減らさなくてはならないのか？　あとどれくらいお金が必要なのか？」どうしてそんなことを考えるかといえば、物質世界のやり方は「行動」中心だからだ。

だが「行動」ではなく「波動」を通じて、「時空や距離」ではなく「思考」を通じて、世界と取り組み始めれば、自分がいるところと行きたい場所との距離を非常に効率的に縮められることを知ってほしい。

　ときには「川」に浮かべたカヌーのたとえ話にも、あなたがたはいつもの行動中心主義をあてはめようとする。言い換えれば、欲しいものは下流にあるというわたしたちの言葉を受け入れ、舳先を正しい方向に向けても、今度は下流に向かって急ごうとする。「どうすればもっと早く下流に達して、やりたいことができるだろう？　もっと集中しよう。もっとがんばろう。もっと長時間働こう」だがこんな頑迷な態度は、再び上流を目指すことになるだけだ。「人生の川」で下流に舳先を向けたら、船足を速めるためにモーターをつける必要はない。「流れ」があなたを運んでくれる。ただ、オールを手放せばいいのだ。**「流れ」に逆らって漕ぐのをやめれば、つまりオールを手放して自然に心地よくリラックスすれば、あなたが既にそうなっているほうへ、あなたが望むすべてへといつも流れ続ける「川」が、願いの実現へと運んでくれる。**

　何かを克服しなければならないという信念は、自動的にあなたを上流へ向かわせる。欲しいものはすべて簡単に手に入ることを理解していれば、あなたは自然に下流に向かう。それさえ理解できれば、自然な心地よい流れを「許容・可能にする術」を実行し、「人生がそうなるように仕向けたあなた」になることを「許容・可能に」できる。

◇第9章

「引き寄せの法則」に練習はいらない

宇宙には三つの強力な法則がある。思いどおりの人生を生きたければ、この三つの法則を理解しておくほうがいい。この三つのなかで「許容・可能にする法則」は三番目にあたる。それなら一番目の法則から順番に説明するほうが筋が通っていると思うかもしれない。実際、この前の本ではわたしたちはそのとおりに説明した。だが、この重要な法則の三番目を特に強調するのは、「許容・可能にする法則」をマスターするためにあなたがたはこの時空の世界に生まれたからだ。あなたがたがこの世界に生まれた目的である「意図的な創造者」になるには、この法則を活用する練習をしなければならない。最初の法則である「引き寄せの法則」は練習する必要はないし、また練習できるものでもない。これは宇宙のすべてに働いている法則で、どうすることもできないのだ。

地球における重力の法則が、練習だのなんだのとは関係なく、一貫したやり方ですべての物質に作用しているのと同じように、「引き寄せの法則」にも練習はいらない。「落上」

を回避する方法を「重力のインストラクター」に教えてもらったりはしない。「落下」ではなく「落上」するという選択肢はないし、問題にもならないからだ。同じように強力な「引き寄せの法則」を一貫したやり方で作用させる練習をする必要もない。「引き寄せの法則」はあなたの波動に合致したものを引き寄せる。たとえ、あなたが「引き寄せの法則」を知らなくても、法則は常に作用している。

二つ目の強力な法則は「意図的な創造の法則」だ。自分がこうしたいと思う方向へ関心と思考を意図的に向けることで、選んだようになり、選んだことをし、選んだものを手に入れられる。この強力な法則によって、あなたがたが住んでいる地球という素晴らしい星が現実化し、あなたがたが見るすべてが現実化した。「見えない世界のソースエネルギー」がこの法則を応用して、強力に焦点を結んで、あなたがたが地球上の人生とよんでいる環境を創造したように、あなたがたも常に物質世界の最高のポイントから創造のプロセスを続けている。

◇「許容・可能にする法則」を生きる

この二つの法則は非常に重要だし、この二つの法則に気づくことはあなたにとっても「す

べてであるもの」にとっても大きな価値があるが、あなたがたの個人的な力のすべては、

三番目の「許容・可能にする法則」を理解し応用することで生まれる。

「引き寄せの法則」は「それ自身に似たものを引き寄せる」ということだ。この法則は何を意味するか。最近起こった出来事で自分が評価されていないと感じていれば、「引き寄せの法則」が自分を理解する人たちを周りに引き寄せることはあり得ない。それは「引き寄せの法則」に反する。

太っていると感じ、容貌が気に入らず、不幸だと感じていれば、楽しい気分や気に入る容貌を実現するのに必要なプロセスや心の状態を見いだすことはできない。それは「引き寄せの法則」に反する。

人が自分を利用し、ウソをつき、侮辱し、所有物を損なっていると怒りを感じていれば、どんな行動をとっても、そのような不快なことが起こるのを防ぐことはできない。それは「引き寄せの法則」に反する。

「引き寄せの法則」はシンプルに正確に、あなたが出している波動にぴったり対応する波動を無数の方法で返して寄こす。要するに、あなたに起こることはすべて、あなたという「存在」の現在の波動に完璧に合致している。そして、あなたという「存在」がどんな波動を出しているかは、感情が教えてくれる。

強力な「引き寄せの法則」に気づくと集中的な思考の力がわかるので、多くの人たちが自分の思考を意図的にコントロールしようと決意する。催眠術から無意識をコントロールする試み、瞑想、アファーメーション、強引なマインドコントロールまで、いろいろな方法で自分の思考をコントロールして、もっと効果的に焦点を定めようとする。

だが、意図的に経験を創造して本来の目的である楽しい人生を送るには、もっとずっと簡単な方法がある。それは「許容・可能にする術」を理解し、応用することだ。これは、自分が欲するもののほうへ意識的に穏やかに思考を方向づける方法だ。わたしたちが説明した強力な「人生の川」を理解し、もっと大きな「本当の自分」を垣間見ることができれば、さらにこれがもっと重要だが、自分の仕事はただ「本当の自分」に自分を合わせることだけだと納得できれば、「許容・可能にする術」はあなたの第二の天性になるだろう。

◇幸せの流れに乗る

そこでわたしたちは、本書を通じて、あなたがたが自然な幸せの流れに乗るための力になりたいと思う。この本ではあなたがたの人生で考えられるほぼすべての状況を取り上げ、自然な流れに乗って進めるように指針を示し、提案をしよう。あなたがたが生まれつき持っている驚くべき感覚を再発見し、本当の方向を見定める役に立ててほしい。本書を読んで感情の驚くべき力を再発見すれば、あなたがたはもっと大きな「見えない世界のソースエネルギー」の視点から、自分の幸せを「許容・可能にする」ことができるだろう。それがわたしたちの願いだ。

非常にありふれた誤解があって、人々が状況をコントロールし、個人的なバランスを獲得するのを妨げている。それは「たった今、あるいはできるだけ早く望む場所に行き着かなければならない」という信念だ。答えを早く見つけたい、できるだけ急いで問題を解決したいと思うのはよくわかる。だが、それでは思うようにはならない。早くどこかに行きたいと感じるとき、あなたは今いる場所に激しく抵抗している。これは流れに逆行する。だが、この考え方でもっといけないのは、こういうことだ。**もっとよい場所に急がなければならないと思うことで、あなたは「流れ」の力を、そのスピードや方向や約束を邪魔している。流れの力を忘れ、「本当の自分」や既になっている自分とはまったく反対の方向を目指してしまう。**

そこでもう一度、流れに逆らうか、流れに乗るかというたとえを思い出してみよう。そして、今まで流れに逆らって必死に漕いでいたのをやめて流れに任せ、下流へと運ばれるとき、どんなにホッとするかを想像してみよう。さらに、慈愛深くて賢いこの「川」は望むもののほうへ運んでくれる、ということを思い出せば、もっと気持ちが楽になるはずだ。自然に下流へと流れていくカヌーに寝転び、この「川」は必ず「幸せ」へ、願望の実現へと運んでくれると考えてリラックスしよう。

◇あなたは「流れ」に力を足している

以下の章は、あなたが望むすべてのことに素早く自分を合わせるのに役立つだろう。だが、「川」のたとえの正しさを受け入れていなければ、自分を合わせることはできない。

物質世界に生まれる前の「見えない世界」のすべてを見通す視点から、あなたはある意図を抱き、その意図が加わって「川」の勢いが増した。さらにこの物質世界の身体に宿ったあなたに、人生はもっと多くを望むように仕向け、それが「川」の勢いをさらに増す。あなたは生きていくなかで常に波動のロケットを打ち上げ、そのロケットが「川」の流れの勢いをさらに増す……以上のことが受け入れられれば、そして何よりも自分のなかの「内なる存在」「源《ソース》」がすべての願望の実現に波動を一致させていること、また「引き寄せの法則」がその最先端のポイントに作用していることが納得できれば、あなたは「川」の力を理解したことになる。

そこで、さらに読み進む前にしばらく時間をとって、この力強くて素晴らしい「幸せの川」について、その川が「なりゆくあなた」へ、真のあなたの実現へと永遠に流れ続けていることについて、よく考えてほしい。

これで、流れに逆らうか、流れに乗るかというたとえを人生経験のすべてに応用する準備が整った。あなたはもう一つひとつの考えが流れに逆らっているか流れに乗っているか、「大きな自分」と今の自分のギャップを縮めているのか、不自然に距離を広げているのか、わかるようになったはずだ。

Part 2

事例に学ぶ〝感情の驚くべき力〟

オールを手放すための事例

　このあと、あなたがたが自分自身の願いとずれてしまいがちなさまざまな状況を、事例に即して見ていこう。取り上げるのは身体に関する願い、人間関係や人生の目的、金銭問題、さらに世界の出来事に関する願いなどだ。これらの事例は、日々生きて改善や拡大を求めているあなたがたの「集団的意識」の波動から集めてある。

　このなかには今のあなたにぴったりの事例もあるだろうし、あまり関係がないと思われるものもあるだろうが、「自分の」問題とは感じられなくても、読んでおけば役に立つ。これらの事例を通じて「意図的な創造の方法論」を完璧に理解できるだろう。

　また事例のなかには、そんな願望は適切ではないと反感を抱くものがあるかもしれない。今のあなたの経験と感じ方からして浅はかだと思う事例もあるだろう。例えば、身体に重大な問題を抱えて不安に苛《さいな》まれていたら、職場の人間関係をよくしたいという事例に、「そんな小さな問題を取り上げるなんて」と苛立《いらだ》つかもしれない。だが、あなた自身にとっては関係のない事例だと思っても、やはり読むことを勧めたい。これらの事例を読んでいくうちに、波動を整えるとはどういうことかがもっと深く理解できるはずだからだ。

あなたがたがどんな願望を持つべきかを指図するつもりはない。あなたがたは生きるなかで既に願望を抱いている。あなたがたが自分自身の願望と自分を同調させるうえで、これらの事例がツールとして役立つことを願っている。

事例1　病気に関して流れに逆らっていないか？

深刻な診断を下されました。あとどれだけたてば、解決策が見つかるでしょうか？

質問

「身体の具合が悪いのです。実際、とても調子が悪くて、専門家から深刻な診断を下されました。とても不安です」

このような状況であなたが不安を感じるのはよくわかる。しかし、不安はあなたが「流れに逆らっている」ことを意味している。

今どうすべきかがわからないというのは無理もない。今どうすべきかについては、非常にさまざまな選択肢があるからだ。あなたが受けた診断については、きっとたくさんの本が書かれているだろう。だがわたしたちは、どうすべきかわからなくなっているあなたの混乱を鎮め、流れに逆らうか、流れに乗るかを決める力になってあげたいと思う。

「どうすれば、こんなことにならずに済んだか」と過去を振り返り、「あのときにああすればよかったのに」と後悔すると、簡単に事態を悪化させてしまう。「あんなことを長い間続けるのではなかった」とか「代わりにこうすればよかった。もっと自分の身体に気をつけていたら……きちんと定期健診を受けていたら……母親の言うことを聞いていたら……」と思うかもしれない。

だが今この瞬間、あなたが考えるべきことはたった一つしかない。それは「自分は流れに逆らっているのか、流れに乗っているのか？」ということだ。それだけを考えれば、あなたは前進し、望むように健康状態を改善することができる。言い換えれば、「たった今自分はよいほうへ向かっているのか、それとも遠ざかっているのか？」ということだけを考えればいい。そして、その答えはあなたの感情が教えてくれるだろう。

流れに逆らっているか（望む結果から遠ざかっているか）、それとも流れに乗っているか（望む結果に向かっているか）を見抜くのには、あなたの「川」の流れの速さが関係する。例えば診断が生命にかかわる深刻なもので、しかもあなたはまだ生きたいと強く思っているとすれば、「流れ」に逆らいたいと強く感じる（あるいは非常に激しい不安を感じる）だろう。だが、もうこの身体で生きることにあまり関心がなければ、不安はずっと小さいはずだ。したがって、どの瞬間でもあなたの感情は二つのことを教えている。

①あなたの「川」の流れがどれだけ速いか、あるいは特定の結果に対するあなたの願望が

どれほど強いか

②その「川」であなたはどちらの方向を向いているか

この事例の場合、「治りたい」という思い自体が、既に流れに逆らっているのではないか、と考えてほしい。なぜなら、それは病気を克服することを意味するからだ。「病気に勝つ」という思考と「健康を許容・可能にする」という思考によって起こる感情の違いを感じ取らなくてはいけない。

このような状況でよく考えることを挙げてみよう。これらの思考が流れに逆らっているか、流れに乗っているかを感じ取ってほしい。

「これはとても恐ろしい診断だ」(流れに逆らっている)
「もっと身体に気をつければよかった」(流れに逆らっている)
「この病気は遺伝だ」(流れに逆らっている)
「治療法はどれもつらい」(流れに逆らっている)
「どうしてこんなことになったんだろう」(流れに逆らっている)
「どうして自分がこんな病気になるんだ」(流れに逆らっている)

こういう思考は抵抗し流れに逆らっている、とすぐにわかったと思う。それでは、こんな思考はどうだろう。

「こんな病気はきっと叩《たた》き伏せてやる」
「こんな病気に負けるものか」
「まだ死ねない」
「きっと病気に勝ってみせる」

これらの思考も抵抗していて、流れに逆らっていることを理解してほしい。どれも自分が望まないことを見つめ、望むことではなく、望まないことに自分の波動を合わせている。これまで挙げた考え方はどれも、病気という不愉快な経験をした結果、「よくなりたい」という願望の波動が既に生まれていることを忘れている。そして、あなたの「内なる存在」は既にその願望を実現し、病気から回復した地点に立って、「こちらへおいで」とあなたに呼びかけている。それが生命の「川」の勢いだ。だから、「逆境を克服する必要がある」という思いは、問題の解決からあなたを遠ざけ、流れに逆らって上流へ向かわせることになる。

では、次の言葉はどうだろうか。

「診断を受けたおかげで、もっと健康を望むようになった」
「わたしの大きな部分、『内なる存在』は既に健康を実現している」
「わたしはこれからも成長し、もっと多くを望むだろう」
「波動のレベルでは、わたしは最高に健康な状態にある」
「わたしの大きな部分、『内なる存在』の部分は今いちばん調子がいい」
「『引き寄せの法則』によって、『内なる存在』以外の部分も、絶好調の状態に引き寄せられている」
「自然な『流れ』は健康へと向かっている」
「どんな行動よりも、この生命の『川』を知っていることのほうが大事だ」
「じたばたしなければならない理由はない」
「必ず健康になる」

これはみな流れに乗る考え方だ。さあ、リラックスして流れに乗る考え方をすると、どんなにホッとして気持ちが楽になるかを十分に感じてみよう。

ホッとして気持ちが楽になったとき、抵抗は減っている。抵抗が減れば、流れは願望が実現する方向にあなたを運んでくれる。身体的な回復の徴候はすぐには現れないかもしれないが、その必要もない。あなたは願望の実現に抵抗するのではなく、自分の「健康を許容・可能にする」方法を発見したから、健康は回復する。

流れに合わせて思考を下流に向けるように心がけていれば、いずれ、それがあなたの自然な姿勢になる。簡単にそれができるようになり、健康が戻ってくるだろう。最初はときどきホッとするだけかもしれないが、いずれはいつも安らかな気持ちでいられるようになる。そうなれば自然に望みもかなうだろう。病気は抵抗に「引き寄せの法則」が働いて生じる。「許容・可能にすること」に「引き寄せの法則」が働けば健康になる。

◇あとどれだけたてば解決策が見つかるのか？

質問：「身体の調子がよくなるまで、あとどれぐらいかかるのでしょうか？　言い換えれば、いつになったら新たにもっといい診断が下されると期待できるのでしょうか？」

このような質問をしたがるのも無理はないが、恐ろしい診断に対する迅速な解決策を求めるあなたは、病気という経験と解決策の必要性を前提として質問している。したがって、この質問は明らかに流れに逆らって上流に向かっている。それにこの質問は、あなたが「川」の力も方向も、流れが求める解決へと運んでくれることも理解していないことを示している。「あとどれだけたてば解決策が見つかるのか？」というのは、実は「自分は望まないこの場所にいつまでいるのか？」と聞くことと同じだ。たいした違いはないと思うかもしれないが、波動の違いは非常に大きい。

自分の言葉あるいは焦点の置き方が流れに逆らっているか、流れに乗っているかを知るには、ホッとして楽な気持ちになるかどうかをしっかり感じ取ることだ。例えば、次の言葉はどうだろうか。

「あとどれだけたてば体調はよくなるのだろう」（流れに逆らっている）

今度はもっと気持ちが楽になる質問の仕方、見方を考えよう。自分の感情にしっかり集中して、次の言葉で気持ちが楽になることを感じ取ってほしい。

「よくなるのがあたりまえだ」（流れに乗っている）

「時間がたてばきっとよくなる」（流れに乗っている）

これはびっくりするようなインパクトのある言葉とは思えないだろうし、完璧には信じられないかもしれないが、それでもいい。大事なのは、**ほんのちょっとでも自分の気持ちが楽になる考え方を心がける**ことだ。これでカヌーにモーターがつくわけでも、瞬時に奇跡的に治るのでもないが、抵抗はなくなる。あなたはオールを手放し、カヌーの方向が変わる。今必要なのはそれだけだ。

ときには何かが起こり、何かが目に入り、誰かに何かを言われ、何かを思い出して、また流れに逆らって上流に向かってしまうかもしれない。だが、それでもいい。あなたは自分が「川」の流れにいることに気づいている。だからもう一度ちょっと努力して、気持ちが楽になることを考え、流れに逆らう考えを捨てればいい。

例えば、重い病気で苦しんでいる人に会って、症状が自分とそっくりなのに気づいたとする。ただ、その人のほうがずっと病気が重そうだ。そのとき、あなたは不安になって考える。「わたしもああなるのかしら。ああはなりたくない」

だが、今回はその考えはあなたのなかで優勢にはならない。自分がどう感じるかということのほうが大切になっている。どう考えるかよりどう感じるかのほうが大切だから、**あ**

なたはこの瞬間に気持ちを楽にしようと決意する。

「自分もああなるのだろうか。ああはなりたくない」（流れに逆らっている）
「あの人がどうしてああなったのか、自分にはわからない」（流れに乗っている）
「あの人は一ヶ月前よりはよくなっているのかもしれない」（流れに乗っている）
「あの人のどんな考えがあの経験を生み出したのか、わたしにはわからない」（流れに乗っている）
「あの人の経験とわたしの経験は関係ない」（流れに乗っている）
「自分から問題を探すことはない」（流れに乗っている）
「わたしは自分のことだけを考えていればいい」（流れに乗っている）

このような考え方も、急激によくなるとか、人生を根底から変えるようなことは求めていない。ただ穏やかに、少しだけ気持ちを楽にしようとしている。毎日いろいろなことが起こり、いろいろなことを感じるだろうが、いつも少しだけ流れに乗る努力を繰り返していれば、そのうちきっと自然と流れに乗れるようになる。そうすれば、身体の状態もあなたが望む方向に向かってよくなっていることがわかるだろう。

気持ちを楽にしようと心がければ――それは今この瞬間にできる――身体的な改善の基盤となる波動が生まれる。だが、いつ、どのようにして体調がよくなるかを知ろうとすれば、そんなことはわからないのだから、抵抗の波動が生じて体調の改善は妨げられる。要するに、今すぐに体調を改善することはできないが、気持ちを楽にして感情を前向きにすることはできる。それだけで十分なのだ！

事例2

どうしてもやせられません

行動ではない。波動が創造する

質問

「わたしは物心ついて以来、ずっと太っていました。ほんの短い期間、飢え死にしそうなほどつらいダイエットを我慢してやってみました。がんばって運動して、体重をコントロールできたことがありました。でも、とても大変だったし、結局長続きせず、いつも望まないリバウンドが起こってしまいます。どんな服も着心地が悪いし、新しい服を買いに行くのも恐ろしい。クローゼットを開けて何か着られるものはないかと探しても、どれも気に入りません。何を着たって自分の姿に不満なのはわかっているから。

体が重くて動きにくく、何キロかやせられればすごく気分がよくなるのはわかっているんです。でも何をしたって無駄だという気がして、意欲がわかないんです」

この事例については、まず「意図的な創造」の重要な部分を思い出してもらいたい。創造とは、行動を通じて何かを実現させることではない。だいたい、創造とは何かを実現させることではない。創造とは自分が望むことが実現するのを「許容・可能にする」ことで、

「許容・可能にする」のは行動ではなくてエネルギーの調整なのだ。

こう言っても、なかなか受け入れない人がいる。経験上、行動が結果をもたらすと思っているからだ。あなたは食事を減らせば体重を落とせることを知っているし、運動の効果にも疑問の余地はないと思っている。それについてはわたしたちも反対はしない。多くの物事の創造において、行動が一つの役割を果たしていることは明らかだからだ。それどころか、行動がなければあなたがたの社会には今のようなたくさんのものは存在しなかっただろう。だが、自分という「存在」のベースである波動を考慮せず、行動に基づいて「創造のプロセス」を進めようとすると、大きなハンディを背負う。乱れた思考のエネルギーに対抗し、それを解消するほどのパワーは、行動にはないからだ。

誰かにダイエット法を教えてもらったとき、以前の成功体験がよみがえり、突然熱意がわくかもしれない。熱意を感じたのはダイエット法を教えてくれた人を信頼しているからかもしれないし、その方法があなたの考え方にぴったり一致したせいかもしれない。いずれにしても、関心を向けてほしいのは、その熱意だ。

あなたが熱意を感じたのは、あなたという「存在」の波動がうまく整っていた証拠だ。次に、どうなるか。あなたは熱心にそのダイエット法と取り組み、そのうちに明らかに効果が現れる。確かに誰かに教えられたから、勧められたから、それどころか命令されたたから、行動したのかもしれないし、行動を起こしてみたら、あなたの姿勢がよい方向に変わり始めたのかもしれない。だが、最初からそのつもりで波動を調整するほうが――これが意欲を起こさせて成果のある行動につながる――、何を創造する場合でもずっとうまくいく。

今の身体に満足せず落ち込んでいるとき、それでは代わりに何を望むかという願望のロケットをあなたは打ち上げる。そして自分で気づいていなくても、人生のプロセスのすべてにおいて、あなたは「波動の預託口座」を増やしている。もっとすてきになった新しい自分の身体という波動を既に創造しているのだ。

これは空想や薄っぺらな夢ではないことを理解してほしい。現実逃避の妄想でもない。これは創造であり、あなたが自分の周りに見るすべてのものは、同じ方法で創造されている。人生を生きることで思いつきや思考が生まれ、それがいずれは焦点を結んで、あなたが「現実」とよぶものになる。

だから、あなたが落ち込んでいるのは、既に始まっている美しいあなたの身体の創造と、今あなたが自分の身体に抱いている思考がずれていることを意味している。波動のレベルであなたの身体は既に美しくなっているのに、古いパターンの信念（抱き続けている唯一の思考）の波動はそれと一致していない。そのようなときには成果が上がる行動への意欲はわかないし、実行もできない。何をしてもうまくいかず、少しも、あるいはまったく結果が出ず、さらに失望が大きくなる。

自分の身体を新たな場所に持っていくための鍵は、今とは違う目で見ることだ。そうなろうとしている身体に焦点を置き、今の身体の否定的な側面から自分を引き離す。今のままの自分を見ている限り、あなたはもっとほっそりした身体という思考の波動に逆らっている。現状を見つめ続けている限り、新しい現実は創造できない。

さて、なぜ行動する意欲がわかないのか、たとえ行動してもろくな結果にならないのかがわかったと思うので、エネルギーの調整を直ちに開始するとても簡単な方法を教えてあげよう。「宇宙の法則」を理解すれば、そして創造の基本（単純な波動の調整）を理解すれば、あなたは望みどおりの結果への道を進むことができる。

・たった今のあなたには、完璧な体重という選択肢はない
・今のあなたには、現在の体重という選択肢しかない
・明日もあさっても、そのあとも、あなたは今日と同じくらいの体重だろう
・たった今体重を変えるという選択肢はない
・ただし、たった今波動を調整するという選択肢は存在する。しかも強力な選択肢だ

・さらに、あなたはたった今最高の気分か最低の気分かを選ぶこともできない
・あなたは意欲的になるかやる気をなくすかを選ぶことはできない
・たった今のあなたの選択肢はもっと微妙で細かい
・あなたの選択肢は、もう少しいい気分になるか、それとももう少し嫌な気分になるかという単純なことだ
・あなたは流れに逆らう考えと、流れに乗った気分のいい考えのどちらかを選ぶことができる
・流れに逆らうか、流れに乗るか、これがあなたの唯一の選択だ
・しかし、この選択だけで十分なのだ

例えば、ショッピングセンターに出かけたと想像してみよう。きれいなお店をぶらぶらと見て歩く。大勢の人たちが出たり入ったりしている。人々は身体の大きさも形も服装もさまざまだが、あなたの目は、すてきなドレスを着ている均整のとれた美しい人たちに引きつけられ、自分を意識してしまう。

自分の服をみすぼらしく感じ、自分の容姿を思って暗い気持ちになる。歩きながらウィンドウに映る自分を見てがっかりする。不安で苛立って不幸な気持ちになり、ショッピン

グを全然楽しめない。

あなたは買い物に興味を失う。もうショッピングという気分ではない。それどころか、今楽しいことといえば何か食べることしか思い浮かばない。あたりにはいい匂いが漂っていて、空腹に気づいたあなたは何か軽くつまもうと思う。見回しただけでも何軒か店があるし、いい匂いが漂っているからほかにも店はあるらしい。どれもおいしそうだとあなたは思う。アイスクリーム、キャンディ、もっとおなかにたまるサンドイッチもいい。今のあなたは、そのどれにもそそられる。

早く静かなところに腰を下ろしておいしいものを食べたい、という気持ちが強くなる。その衝動に抵抗しようとするが、それよりもあっさり屈服して何か食べるほうがずっと楽だ。あなたはアイスクリームカウンターの行列に並び、一緒に並んでいる人たちのなかにほっそりした人々がいるのに気づく。その人たちを見るとイライラし、イライラすればするほど、ますます食べたい気持ちが大きくなる。

この事例にもっと詳しく立ち入る前に、そしてあなたの状況を改善する道筋を教えてあげる前に、ほとんどの人が理解していないこと、それどころか信じようとしないことを説明しておきたい。あなたがどんなに意志の力を鍛えてアイスクリームを食べずに店から出ようと、あるいは大きなサイズのアイスクリームを選び、そして食べようと、どちらの行動も結果にまったく違いはない！　例えば、1000日間アイスクリームを食べるのを我慢するのと1000日間食べ続けるのを比べても、どちらの行動を選択しても、効果にまったく違いはない。**大事なのは行動ではなく波動なのだ。あなたが太っているのは行動のせいではなく、波動のせいだ。どう行動するかで違いが出るのではない。自分の行動をどう感じているかで違いが出るのだ。**

自分の体重について波動の調整を始めると、食事の仕方を変えようという意欲がわくかもしれない。それでも多くの人たちがこう言うだろう。「このやり方と今まで何度もやったダイエットとどんな違いがあるの？」

しかし、どうせダメだろうという今までの気分とは違って、今度はとても簡単にやる気が起こるはずだ。そこに気づいてほしい。それに気分が明るいと、これもあれもと次々にいいアイデアが見つかる。そうやって連鎖反応的にますます気分が明るくなり、また新しいアイデアを思いつく。その新しいアイデアも苦労して考えるのではなくて自然に流れるように浮かんで、それほどしないうちに現実的な効果が現れ出す。もちろん実際に効果が現れれば意欲はますます高まり、あとはもう望む結果に向かってまっしぐら、ということになる。

そして思いどおりの体重を実現すれば（実現できるはずだ）、あなたは自分にこう言うだろう。「今回は難しくなかったし、このままキープできそうだ。どっちにしても自分がすべきことはわかったから、その気になればいつだって自分が思う肉体的コンディションを実現できるわ」と。

次のことを考えてみよう。

やせていることが幸せな感情と同調するなら……、
そして、いつも幸せな気持ちでアイスクリームを食べているなら……、
あなたは、やせていてたくさんアイスクリームを食べる人になるだろう。

やせたいのにやせないと思って、それが暗い気持ちと同調するなら……、
そして、いつも暗い気持ちでアイスクリームを食べているなら……、
あなたは、太っていてたくさんアイスクリームを食べる人になるだろう。

やせたいのにやせないと思って、それが暗い気持ちと同調するなら……、
そして、意志の力でがんばってアイスクリームを食べないでいるなら……、

あなたは、太っていてアイスクリームを食べない人になるだろう。

こう聞く人がいるかもしれない。「エイブラハム、不幸な気持ちが太っていることと同調するなら、食べ物が足りない環境にどうして太った人がいないのですか？　彼らは不幸で、しかも太ってはいない。それどころか餓死することも多いんですよ」

わたしたちの答えはこうだ。食べ物が足りないという環境に関心を集中し、自分と愛する者のために心配していたら、望んでいないことと同調する。太りたくないと思うのが流れに逆らうことで、飢え死にすると思うことも流れに逆らうことなら、違いは何もない。どちらの考えも流れに逆らっている。「やせたい」ということでも、「家族のために十分な食べ物」が欲しいということでも、望むことに抵抗している。

「やせていることは、幸せな感情に同調する」（流れに乗っている）
「太っていることは、不幸な感情に同調する」（流れに逆らっている）
「食べ物が十分にあることは、幸せな感情に同調する」（流れに乗っている）
「食べ物が十分にないことは、不幸な感情に同調する」（流れに逆らっている）

望むすべてを創り出す鍵は、現在の状況ではそういう気持ちになれなくても、できるだけ気持ちがよくて流れに乗る考えへ向かう道を見つけ、「流れ」に逆らって行動するのではなく、欲求の方向、「本当の自分」の方向に、意志の力で考えを集中することだ。

そこで、初めのうちはこんなふうになるかもしれない。

「わたしは太っている」（流れに逆らっている）
「太りたくないのに」（流れに逆らっている）
「もう太っているのにはうんざりだ」（流れに逆らっている）
「自分の容姿が嫌い」（流れに逆らっている）
「持っている服も嫌い」（流れに逆らっている）
「服を買いに行くのも嫌だ」（流れに逆らっている）
「いろんなことを試したのに」（流れに逆らっている）
「何をしてもうまくいかない」（流れに逆らっている）

覚えておいてほしい。すべてを解決する必要はない。ただ、少しだけ気分のいい方向へ考えを向ければいい。

「いい方法が見つかるといいな」（流れに乗っている）
「脚はきっとスマートになるだろう」（流れに乗っている）

これもびっくりするようなインパクトのある言葉ではないが、少しだけ気分がよくなる。したがって流れに乗っている。とりあえず、この調子でいけばいいのだ。

体重についてまた以前のような不満を感じたと気づいたら、ちょっと努力して流れに乗る考え方をし、しばらくそれを続ければ、今いる場所と望む場所の波動の関係がごく短い期間で改善される。この波動の改善でどんなに進歩が早まるかを知ったら、きっとびっくりするだろう。すべてはどんどん容易になり、やがては望む体重が実現する。

さて、あなたが仕事をしているとしよう。しなければならないことがあって忙しく、自分の身体や体重のことは考えていない。昼食時になった。あなたは自動販売機の前を通りかかり、クッキーを買いたいと思う。お金を入れ、クッキーの袋が落ちてくる。袋を開けていると、嫌な気分に襲われる。

「ああ、またやっちゃった」と思い、不快感が広がる。

だが誘惑は強く、あなたはクッキーにかぶりつく。

そこで気分が落ち込み、さらに嫌な気持ちになる。

だが、今回は以前とは少し違う。体重について前向きに考えていた勢いが働いているからだ。

あなたは思い出す。「大事なのは何をしているかじゃない。していることをどう感じているかだ」それであなたは手を止めてクッキーを眺め、次のように考える。

「これ、食べるべきじゃないんだけど」（流れに逆らっている）
「食べれば、ますます太るわ」（流れに逆らっている）
「でも、おいしいのよね」（流れに乗っている）
「それに、そんなに大きくもないし」（流れに乗っている）
「少しだけ食べて、あとはとっておこう」（流れに乗っている）
「自分で決められるのはいい気分だ」（流れに乗っている）
「ちゃんと考えて決めると、気分がいい」（流れに乗っている）
「自分の行動に責任を持つって、気分がいいのね」（流れに乗っている）
「行動する前に考えれば、あわててクッキーを買わなかったかもしれないな」（流れに乗っている）

「たかが小さなクッキーに、なんて大騒ぎをしているんだろう」（流れに乗っている）
「このクッキー、とてもおいしい」（流れに乗っている）
「せっかくだから、おいしく食べよう」（流れに乗っている）
「食べようと思うときも、やめておこうと思うときもある」（流れに乗っている）
「今は、食べることにしよう」（流れに乗っている）
「食べるなら、おいしく食べよう」（流れに乗っている）

あなたは、今自分にとって珍しいことを成し遂げた。クッキーを食べながら、自分自身をうまく調整し、同時にやせたいという願望にも自分を合わせたのだ。あなたは「拡大した自分」に自分を同調させた。そのことのほうが、クッキーを食べる――あるいは食べない――という行動よりも大きな意味がある。そこへ、とてもほっそりした人が歩いてきて自動販売機のクッキーを買い、食べ始める。見ていると、その人はとてもおいしそうに食べている。

今までだったら、やせた人がクッキーを食べているのを見たら、あなたはこんなふうに考えた。

「不公平だ」（流れに逆らっている）

「あの人は代謝作用がよくて、おいしいものを食べてもやせていられるのだろう」（流れに逆らっている）

「あの人は不健康な暮らしをしていて、今日食べるのはあのクッキーだけかもしれない」（流れに逆らっている）

だが今度は波動が整っているから、こんなふうに考える。

「あの人はクッキーを食べたいという欲望に自分をうまく同調させている実例だ」（流れに乗っている）

いちばん大事なのは波動の調整だ。だから、すぐに目に見える結果が出ると期待しないこと。ただ自分の気分や姿勢、感情が少しよくなればいい。気分がよくなれば、あなたの波動はうまく調和している。そうなれば、あとはすべてうまくいく。それが法則だから。

事例3 子どもはコントロールできない

子どもたちが年中ケンカしていて、気が狂いそうです

質問

「うちには12歳の男の子と13歳の女の子がいます。とてもいい子です。学校では問題ないし、成績もいいのですが、ケンカが絶えません。殴ったりはしないのですが、一緒にうちにいると一日中叫んだり怒鳴ったりドアを叩きつけたり。それが毎日なのです。それぞれ部屋があるのだから離れていればいいのに、とにかくお互いが癪にさわってしかたがないらしく、夫もわたしも本当にやりきれません。そばに寄るなと命じたり、逆に仲良くなれるように一日同じ部屋にいさせてみたり、あらゆることをしてみましたが、効果はありませんでした。今では子どもたちが学校から帰ってくると、ぞっとします」

「意図的な創造」について、人間関係という枠組み、あるいはわたしたちの言う共同創造という面を考えると、とても興味深い。多くの人々が人間関係で出口を見失っているのだ。相手に長期的な変化を起こさせて人間関係の問題を解決しようというのは、事実上不可能だ。たいていの人は相手を変えようとするが、結局あきらめるか、逃げ出す。自分が気

分よくなるために他人に変われと要求しても、決してうまくいかない。

わたしたちがあなたのお子さんたちと話をするとしたら、決して相手に変われと要求するようには仕向けない。しかしあなたの場合、状況はさらに複雑だ。あなたはいわば外側から子どもたちの人間関係を変えたいと思っている。そして、なんとか仲良くさせようといろいろ努力してもうまくいかなかったから、既に子どもたちの人間関係をコントロールすることはできないと感じている。

人はだいたい、よい行動には褒美を、悪い行動には罰を与えて、わが子や従業員、クラブのメンバー、政党の党員、教会の会員などの行動をコントロールしようとする。だが、そんなやり方が効果を上げたことはない。**外から規則や懲罰を押しつけても、普通は望ましくない行動が隠されるか、あるいは逆にもっと反抗的になるだけだ。人々は、自分が他人を喜ばせるためにこの世界で生きているのではないことを直観的に知っている。**

わたしたちはよく「あなたの経験の創造者はあなた自身だ」と説明するが、それは「あなたは他人の経験の創造者ではない」という意味でもある。彼らの経験の創造者は、彼らなのだ。だが、あなたと同じ屋根の下で、あなたの目と耳の届く範囲で、彼らが自分の経験を創造すれば、それはあなたに影響するし、その影響についてはあなたとしても言いたいことがあるのはよくわかる。それに、あなたが好ましい行動を目にすればうれしいのも、また不快な行動を見せられればうれしくないのも、もちろん理解できる。さらに相手がわが子であれば、なおさら事態はややこしくなるだろう。確実にいえるのは、**「他人の行動をコントロールできるかどうかで自分の幸福が決まると信じていれば、決して幸福にはなれない」**ということだ。他人をコントロールするのは不可能だからである。

他人をコントロールしようとして一生を過ごす人たちがたくさんいるが、結局、他人を絶対的にコントロールしようとすれば、無駄な努力に関心が集中して人生が台なしになり、自分の自由の大半をあきらめなければならないと気づくだけだ。そんな努力は「宇宙の法則」に反するからである。

親たちはたいてい子どもたちを指導しなければならないと感じているので、こういう言葉はなかなか耳に入らない。親は子どもたちを指導して世話することが自分の役割だと信じて、なんとか最善の指導方法を探そうとする。だが、あなたがたが「すべてであるもの」に十分に自分を調和させてから子どもたちを導くなら、はるかに力強い影響を与えることができる。簡単にいえば、怒りや苛立ちという場から子どもたちを指導しようとすれば、あなたと「本当のあなた」の波動が合っていないから、たいした影響を与えられない。しかし「すべてであるもの」と十分に結びついたうえでなら、指導は力強いものになる。

ちょっと落ち着いて考えれば、次の言葉のおかしさに気づくだろう。「子どもたちの行動に腹が立ってイライラするので、子どもたちを導く力がなくなってしまう。いくらがんばっても、ますます徒労に終わる」しかし自分を「すべてであるもの」に合わせれば、あなたは力強い「流れ」に乗ることができ、すべてが望む方向に流れ出す。

子どもたちがケンカをしているのを見るたびに、あなたは子どもたちの人間関係に関する願望のロケットを打ち上げる。子どもたちがコントラストとディテールに富んだ経験を提供し、あなたのなかにこうなってほしいという願望が生まれる。あなたが何を望むかは、あなた自身の問題だ。したがって、あなたがすべきことは簡単だ。「自分が望む自分に自分を合わせる」それだけである。

あなたが子どもたちのケンカに苛立つのは、子どもたちの今までの行動からあなたが抱いた理想と今の子どもたちの行動が一致しないからだ。それどころか、あなたは子どもたちが生まれる前から、ほかの子どもたちを見ることで、自分の願望を「波動の預託口座」に貯えてきた。あなた自身が誕生する前から、その「波動の預託口座」には波動が貯えられている。だから今、自分の願いと正反対のことを見て違和感を覚えるのは当然だ。あなたが苛立っているのは、子どもたちの態度が悪いからではない。**子どもたちに対するあなたの見方が、願いの実現とは逆の方向にあなたを向かわせようとしているからだ。**

自分が苛立つのは波動の違いのせいで（自分が見ていることと「波動の預託口座」との違いのせ

いで）、本当は子どもたちの行動のせいではないとわかれば（子どもたちの行動をコントロールすることはできない）、あなたは子どもたちが何をしようともっと気分よくいられる考え方を選択できる。その選択ができれば、あなたの影響力はとてつもなく大きくなる。

例えば、こんなふうに。

・あなたは態度の悪い子どもたちを見ている
・あなたは嫌な気持ちになる
・あなたは子どもたちの態度が悪いから嫌な思いをするのだと考える。だが本当はあなた自身の願望と今のあなたが同調していないので、嫌な気持ちになっている
・そこであなたは子どもの行動を無視し、自分の気分がよくなるほうへ焦点を向けようとする
・そうしているうちに、あなたは十分に「自分自身」と結びつく
・またずっと前から描いてきた仲良しで幸せな子どもたちという姿とあなたの波動も一致する
・こうしてすべてが整ったところで、あなたは「本当の自分」、宇宙を創ったリソース、自分の「内なる存在」、それに子どもたちや家族、自分の人生に関して抱いている願望

と全面的に結びつく

・そうなればあなたの言葉や行動のタイミングは完璧で、子どもたちの抵抗をほとんど刺激せず、前向きな変化を効果的に引き出せる

だが、あなたは言葉や行動で創造するのではない。願望の波動に自分を合わせることで創造する。

したがって、息子や娘の行動を変えたいと奮闘しても、苦しい思いをするだけだ。だが自分自身の考えをうまく方向づけようとすれば、それは可能だと感じるだろうし、やがては簡単なことだと思うに違いない。

そこで、いよいよあなたの経験のなかで素晴らしいことが起こる。自分の思考を意図的に選ぶことですぐに気分がよくなるだけでなく、あなたがそう仕向けていると誰も気づかないうちに子どもたちの行動も（「引き寄せの法則」の力を借りて）変化する。おまけにあなた自身というお手本のおかげで、子どもたちに波動を整えることの価値と力を教えることにもなる。「源《ソース》」と自分をどう同調させるかを——それがなかなか難しい状況で——見せてやることは最高の教育だ。自分の人生を自分で導く力を持つことこそが、本当に子どもたちに教えたい、たった一つの知恵のはずだ。

流れに逆らうか、流れに乗るかというプロセスをおさらいしてみよう。いつものように、あなたは今いる場所から始める。それ以外の場所から始めるわけにはいかないから。

「子どものことを考えると頭がおかしくなる」（流れに逆らっている）
「あの子たちはいつでもケンカしている」（流れに逆らっている）
「どうすればケンカをやめさせられるのかわからない」（流れに逆らっている）
「あんなことをしていて、いつか後悔するから」（流れに逆らっている）
「わたしはどうすればいいのかわからない」（流れに逆らっている）
「思いつくことはなんでもやってみたのに」（流れに逆らっている）

最初は流れに逆らう言葉が浮かぶのが自然だ。だがここでは、わかりきったことを言葉にしたり、どんな行動をとれば事態を変化させられるかと考える必要はない。ただ自分がホッとして楽な気持ちになることを考える。それだけでいい。

ほんの少しホッとするだけでも、あなたの抵抗がいくらか減ったというしるしだ。それに、オールを手放すのは他人の行動を変えようとするよりもはるかに少ない努力でできるし、そうすればカヌーは流れに乗って下流へ向かう。気持ちが楽になることが次々に思い浮かぶようになればますます気分は明るくなり、やがては子どもたちの行動がよくなったのを目にすることになる。他人の行動に影響を及ぼして変化を生じさせるには、あなた自身が自分の願望に自分を合わせる必要がある。変化を引き起こす前に、あなた自身の気持ちが明るくなっていなくてはならないのだ。

「子どもたちの関係は、本当は子どもたち自身の問題だ」（流れに乗っている）
「あの子たちはわたしが思うほど仲が悪いわけではないかもしれない」（流れに乗っている）

あなたがこの最後の言葉に、一日二日波動を合わせていられれば、それだけであなたの波動は変わり、状況はよい方向に向かうだろう。だが、この言葉は浮かんだばかりだし、いつもの思いとは違うので、あなたはまた流れに逆らう思考に戻ってしまうかもしれない。そこでいわば波動をしっかり整えるために、しばらく意識してこういう考え方をしていると、気持ちが楽になる言葉がもっと浮かんでくる。気持ちが楽になる時間が長くなればなるほど、その思考はさらに気持ちが明るくなる思考を引き寄せるから、そのうちあなたは自分の願望に自分を合わせられるようになる。

「あの子たち、小さいころは本当にかわいかった」（流れに乗っている）
「よく一緒に遊んでいたわ」（流れに乗っている）

ところが、気持ちが楽になると思う考え方をしたのに、逆に気持ちが暗くなってしまった、ということもあり得る。場合によっては、気持ちを明るくする考え方をしようと努力しても、今実現していない願望の大きさばかりを意識するかもしれない。これではホッとするどころか、ますます暗い気持ちになる。だがこれは流れに乗ろうとしたけれど方向を見失ってしまった、という意味ではない。

覚えておいてほしい。たった今の気持ちは直前の気持ちに左右されている。気持ちはとても流動的で、いつだって自分が選んだ方向へ変えることができる。目的地の方向を見失わないこと。ホッとして気持ちが明るくなること、それがあなたの目的地だ。何かを考えてさっきより気持ちが暗くなっても、それは問題ではない。もっと気持ちが明るくなることを考えればいい。そのうちに、それもわりあいにすぐに、気持ちは明るくなる。

「子どもがケンカをするのは当たり前だ」
「それも人生勉強の一つだ」

「子どもたちが自分の環境に正直に反応するのは当然だ」
「あの子たちだってわたしと同じで、暗い気持ちにはなりたくないはずだ」
「暗い気持ちになるのが本当に嫌なら、そのうち自発的にケンカをやめるだろう」
「わたしが暗い気持ちになっても、状況がよけいに悪くなるだけだからやめよう」
「あの子たちのことはあの子たちに任せておけばいい」
「これからどうなるか、興味を持って見ていよう」
「だいたい、わたしは大げさに騒ぎすぎる」
「どうしてわたしはこんなに大騒ぎするのか、考えてみればこっけいだ」
「また大きな視野に立って考えられるのは気分がいい」
「あの子たちは本当にいい子だ」
「わたしたちはみんな家族だもの」
「自分の気持ちは自分でコントロールできるとわかっているのは、いい気分だ」
「わたしの影響で子どもたちの気持ちが明るくなると思うとうれしい」
「あの子たちは自分で自分の感じ方を選ぶだろう」
「わたしは自分で自分の感じ方を選ぶんだと思うと、明るい気持ちになる」

ケンカをしている子どもたちに対するあなたの認識は、あなたの「波動の預託口座」に貯えられる。家族の人間関係にもまれて、あなたの願望は大きく成長する。そして望ましい人間関係に向かう流れに乗ろうという意志のおかげで、あなたはその理想の実現に向かって運ばれる。

この世界では何一つまずくなることはないばかりか、すべてはあなたがこの物質世界の身体に宿ろうと決めたとき、こうなるだろうとわかっていたほうへ進んでいる。あなたはこの人生を生きて、自分が何を望むかを明らかにし、それからその願望に関心を集中するために生まれてきた。それが「意図的な創造」ということである。

事例4

どうしても整理整頓ができません

まず気持ちを前向きに

質問

「わたしはきちんとした人間になりたいのに、どうしてもそれができません。いろいろなことに興味があるので、物が増えてしまうのです。うちはわたしが興味を持つ物でいっぱいで、もうどっちを向いても足の踏み場もないほどです。

次々に新しいことを思いついて、それに関連する物を集める時間はあるのに、整理整頓の時間は見つかりません。それどころか、散らかっているのをぼんやり眺めているだけで、時間が過ぎてしまいます。ときには、今日は一日かけて整理整頓するぞと決めるのですが、片づけようとしてもどこから手をつけていいかわからず、嫌になってしまいます。

もっと捨てなければならないのはわかっていますが、捨てたら、やっぱり必要だった、捨てなければよかったと思うかもしれない、ということが心配で捨てられません。それでわたしは物に埋もれています。何がわたしにとって大事なのか、誰にもわからないので、誰かに片づけを頼むわけにもいきません。それに誰かに整理整頓してもらったら、何がどこにあるかわからなくなります。なんとか片づけなくてはいけない、きちんと暮らさなくてはいけないのはわかっているのですが、無力感に陥るばかりです」

いい機会なので、「引き寄せの法則」はなんでもそのときの状態に作用する、ということを指摘しておこう。

あなたは散らかった家を見回して無力感に陥り、無力感に陥るから、散らかった家をどうすることもできない。こう言えばあなたも、今は片づけより先にやるべきことがあると気づくのではないか。あなたは既に、自分が無力感に陥って何もできなくなることを知っている。だから、自分の気持ちを前向きにする方法を見つけなければならない。気持ちが前向きになれば、整理整頓する方法も見つかるだろう。言い換えれば、まず自分の心の乱れに取り組み、それから外部的な乱れに取り組むことだ。

「物を捨てなくてはいけない」
「こんなガラクタを集めるなんて、わたしはどうかしている」
「わたしは何を考えていたのだろう」
「でも捨てると、本当は必要だったということになるかもしれない」
「状況はますますどうしようもなくなる」
「わたしはどうしても整理整頓できない」

以上の言葉は確かにあたっているが、どれも流れに逆らう考え方だ。そして、今のあなたの気分を表している。だが、今どうなのかを言葉にするのではなく、また今までどうだったかでもなく、もっと気持ちが前向きになる言葉を見つけよう。言い換えれば、今の目標は「現在」の事実を表現することではなく、ホッとして気持ちが楽になる言葉を探すことなのだ。いつも楽な気持ちでいることができれば、エネルギーに変化が起こり、無力感は消えて明るい気持ちで行動できるアイデアが浮かんでくる。気持ちが明るくなるのは、あなたとあなたの「内なる存在」のエネルギーがうまく調和したしるしだ。抵抗するか「許容・可能にする」か、流れに逆らうか流れに乗るか、その違いである。

「何かに関心を持つのは、別に悪いことではない」
「何かに関心があれば、関連する物が集まるのは当たり前だ」
「いろいろなことに関心を持つ人や、多趣味な人はたくさんいる」
「ここにある物を見つけたときの楽しさはよく覚えている」
「こういう物に関心を持ったのがきっかけで、さらに関心を持つ物がたくさん見つかったっけ」
「これこそ、『引き寄せの法則』の働きだ」

「別に、こういう物を全部捨てなくてはいけないわけではない」
「関心がある物を集めるのは悪いことではない」
「全部とっておいて、リストを作り、欲しいときには見つけられる方法を探そう」
「今いっぺんに整理整頓しなくてはいけないわけではない」
「今までこうやってきたのだから、今、特に急ぐ必要はない」
「そのうち、なんとかなるだろう」
「こういう物を集めたのが楽しかったように、整理整頓するのも楽しめるはずだ」

こんなふうに考えることで、外見的には何も変わらなくても無力感が消えることに注目しよう。それはあなたの考えが「本当のあなた」と再び調和したからだ。自分自身について(誰についてでも)嫌なことを考えれば、あなたは自分の「内なる存在」と対立する。そのことをわかってほしい。「内なる存在」はあなたへの愛だけを感じている。あなたが自分自身をくさしたり、責めたり、批判したりすれば、自分自身のより大きな部分との調和が壊れる。自分をおとしめることほど、有害で困った思考はない。「疑わしきは罰せず」というが、あなたもよくわからない場合には自分に有利に考えれば、「本当の自分」と調和できる。

「自分の短所を直視しないのは否認で、健康的ではない」と言う人がいる。それに対してわたしたちは「自分のためを考えるのはよいことだ」と答える。自分を大事にしてより大きな自分と調和するように仕向けられれば、自分のためになる（それは気持ちが明るくなるからわかる）し、そうなれば他人のためにもなることができる。だが自分を責めて落ち込んでいたら、誰の役にも立てない。誰かのために役立つもとである「幸せの川」から自分を引き離してしまうからだ。

事例5

ほんの少しだけ考えを前向きにする

元夫がわたしについてウソを言うのですが

質問

「わたしは10年以上結婚していましたが、昨年、離婚しました。10歳の娘がいます。娘の親権は元夫とわたしが共同で持つことになりました。娘が両方の家を楽に行き来できるように、わたしたちは同じ街に住んでいます。ほかの物理的な条件もすべて整っています。

離婚のときの合意で、娘はウィークデーはわたしと、週末は父親と過ごすことになりました（ときには週末をわたしと過ごすこともありますが、ほとんどは父親のほうにいます。誕生日やほかの祝日などは、ウィークデーか週末かに関係なく、順番に娘と一緒に過ごすことにしています）。娘はとてもいい子で、この状況にうまく適応しているように見えるのですが、父親の家で過ごして戻ってくると、なんとなく様子が変なのです。よく苛立っているし、何か引っかかっているらしいのがわかります。

最近、元夫がわたしについてたびたび悪口を言っているらしいとわかりました。そのことは意外ではありません。わたしだって彼にはいい気持ちを持っていませんから。ところが、彼はありもしないことを言うのです。実際、わたしの耳に入った多くのことはまったくでたらめでした。彼が娘にそういうウソを言ってわたしとの仲を裂こうとしているのではないかと心配です。娘が父親の言うことを信じ、だんだんわたしと疎遠になるのが怖いのです。自分を守りたいのですが、彼が正確にはなんと言っ

ているのか知らないので、反論しようがありません。それに、ほかにも誰にどんなウソを言っているのかわかりません。どうすればそういうことをやめさせられるでしょうか?」

結婚している間でもうまくいかなかったのだから、離婚後にうまくいかないのは意外ではないだろうが、しかし、うまくいく可能性がないわけではないことをわかってほしい。それどころか、一緒に過ごした歳月のなかで、あなたがたは二人ともいろいろな意味で拡大してきたのだと気づけば、離婚したあとでもお互いの関係から非常にいい成果を引き出すことができる。

あなたにいちばん理解してほしいのは、離婚しても元配偶者との関係は終わらない、ということだ。彼との関係は決して終わらないだろう。そこに気づくと、離婚したり別居したりした人たちはとても動揺する。ある状況に対して非常にネガティブな気持ちを抱いて暮らしていると、その相手と別れればほとんどの問題は解決するだろうと考える。だがたいていは離婚後も元配偶者に対する気持ちはほとんど、あるいは全然改善しないのに気づく。それどころか、多くの人たちは離婚を正当化しようと必死になるので、自分が望まなかった関係に波動を合わせたままになってしまう。すると、もう一緒に暮らしていないのに、また顔を合わせたりつきあったりしていないのに、毎日相手の存在が気になって不愉快な気分になる。離婚して暮らしは変わっても、波動が変化していないから、そのあとの関係も以前と同じようにネガティブな問題につきまとわれる。

元配偶者との関係は不愉快でも、そのなかであなたは成長してきた。今のあなたの「内なる存在」はその成長した「存在」の波動になっていることを思い出してほしい。あなたが前向きな考え方を見つけ、その考え方に波動を合わせるように自分を訓練し、練習を積めば、その経験からいい結果を引き出せる。前向きの考え方を見いだすことによってのみ、あなたは今の自分と拡大成長した自分のギャップを縮め、あなたの人生が拡大成長するように仕向けたとおりの「存在」になることができる。

流れに乗る考え方を探してみよう。まず、今のあなたの考え方。

「もう彼と一緒に暮らさなくても済むからうれしい」

「最初から彼との結婚はうまくいかない気がしていた」

「どうしてあんなに長い間我慢していたのかわからない」

「今でも彼がトラブルを起こそうとしているのも意外ではない」

「彼のウソに対して自分が身を守れないのが悔しい」

「彼はとても不安定だし、あの性格が変わることはないだろう」

「この関係を清算することはどうしてもできないのか」
「娘がいるから、わたしはいつまでも彼に縛られている」

前向きな考え方をしようと決意すれば、前向きな考え方がどんどんわいてくるというものではない。「引き寄せの法則」は今の波動と全然違う思考を引き寄せはしない。あなたは相手について長い間ネガティブな考え方をしてきたのだから、いきなり素晴らしく気持ちのいい考え方ができるはずはないし、そんな必要もない。必要なのは、ほんの少しだけ考え方を変化させることだ。

「川」の上で方向転換し、もっとよい状況へ向かう流れに乗るには、とにかく流れに抵抗するのをやめることだ。それにはただ、不愉快な考え方を可能な限り捨てればいい。不愉快な考え方を捨てるたびに、少しホッとして気持ちが楽になる。そのホッとした気持ちが少しだけ下流に向かう力になり、気がついたときにはさらに明るい前向きな考え方ができるようになって、そうやって流れに運ばれていく。

今のあなたの目標は流れに逆らって漕ぐのをやめること、それだけだ。自分や自分の立場を守ろう、離婚を正当化しよう、自分が正しいと証明しようという気持ちを捨てること。なんによらず防衛しようという気持ちを持たないこと。ただ、カヌーに乗って浮かんでいればよろしい。

「わたしは争いには飽き飽きした」

「もう争いたくない」

以前の敵意に満ちた言葉に比べれば、これらの言葉はずっと前向きだ。だからホッとして気持ちが楽になる。いっぺんにもっと素晴らしいことを考えようとがんばる必要はない。ときには流れに逆らうのをやめ、抵抗を捨てるだけで十分だ。しかし、これならできそうだ、もっと努力してみようと思うなら、前向きな考え方を続けるのはとてもいいことだ。

「離婚したのはいいことだった」

「誰が悪かったわけでもない」

「そのことはわたしたち両方が知っている」

「わたしたちが近くに住んでいて、娘が簡単に行き来できるのは本当によかった」

「もう同じ家に住んでいるのではないから、今のほうがずっといい」

これだけで突破口が開かれて、気持ちが非常に明るく前向きになることもある。そうなったら前向きな気持ちを活用して、どんどん流れに乗る考え方をしよう。

「わたしたちの関係が切れないことは、よく理解できる」
「わたしは今の状況をできるだけ生かす努力をしたい」
「わたしは娘から父親を奪いたいとは思わない」
「彼が母親から娘を奪おうとするなんて思わない」
「二人はたぶん、わたしのことなどたいして話題にしていないだろう」
「わたしたちはどちらも自分の人生を生きていく」
「娘には両親のどちらも好きでいてほしい」
「娘がわたしを好きでいてほしい」
「それに父親のことも好きでいてほしいと思う」
「わたしたちが争いを続けなければならない理由はない」
「わたしはもう争うつもりは全然ない」

さて、これまで「父親が娘にわたしの悪口を言う……彼はありもしないことを言う……

わたしの耳に入った多くのことはまったくでたらめだった……ほかにも誰にどんなウソを言っているかわからない……」という肝心の問題を避けてきたように思うかもしれないし、実際、そのとおりだ。わたしたちは最初から最も不愉快な話題を避けてきた。そのほうがあなたは自分の考えを明るいほうへ向け、気持ちを楽にすることができるからだ。

あなたが自分の気持ちに気づいて、常にホッとして気持ちが楽になるほうへと思考を向ければ、いずれはこのような激しい否定的な気持ちでさえも消えていく。それは元夫が変化するからではなく、二人の関係の結果として成長したあなたと今のあなたが調和するからだ。

波動のギャップを縮めることがどんなに大切かを理解し、人生が拡大させたあなたという「存在」に自分を一致させれば、今はあなたを悩ませるろくでなしとしか感じられない元夫も、いい人だと思える日がやってくる。すぐにではなくても、いずれはきっとそうなる。

事例6

夫が運転中のわたしに指図するのが嫌です

苛立っていると解決策は見つからない

質問

「わたしは運転が上手です。しょっちゅう運転していますし、一度も事故を起こしたことはありません。方向感覚はあまりよくないし、実は地図を読むのも苦手ですが、一度行ったところならたいてい覚えていて、行き着くことができます。

夫と自動車で出掛けることが大変多く、彼はわたしが運転するほうがいいようです。でも、夫は運転中にやたらと指図するのです。『レーンを変えたほうがいいんじゃないか』とか、『先行するあの大きなトラックから離れたほうがいい』とか、それどころか駐車場の出入りの仕方まで自分で決めたがります。運転中の選択肢は本当にたくさんありますが、大半はどっちを選んでも結果に大差はありません。だから、どうして駐車場から出るのにあっちよりこっちの通り道のほうがいいのか、正直言ってわたしにはわかりません。また、確かに彼が勧めるやり方のほうがいいこともありますが、まるで運転している自分とは別の頭が決断を下しているようで、自分の直観的な判断を夫に押しつぶされているわたしは、いつも気分がよくありません。

夫が運転したいなら自分でハンドルを握ればいい、と思います。わたしが運転しているときは任せてくれればいいのです。それにときどき有益な助言をしてくれるにしても、わたしの気持ちが傷つか

ない方法がきっとあるはずだという気がします。

わたしはいつもイライラしています。駐車場から出るときでも、彼があれこれ言うので、車両感覚や運転の勘が狂ってしまいそうです。こういう状況では運転しても楽しくないし、危険でもあります。わたしは自分の判断で進むどころか、頭がおかしい人みたいに迷ったりためらったりしています」

あなたは共同創造を経験している、そこに気づくことが大切だ。言い換えれば、あなたの夫があなたを苛立たせているのではなくて、あなたがたが二人で時間をかけてこのシナリオを創り出したのだ。始まりは、たまたまあなたがどっちの道を行くか決断できず、彼のほうは最善のコースを知っていたときかもしれない。

別の視点からの助言は非常に役に立つことが多い。しかし、今のあなたはしょっちゅう助言され続けて苛立ち、自分自身とずれてしまっている。自分自身とずれているから行動をためらい、すると夫はもっと助言しなければならないという気になる。あなたが自分自身とうまく合っていなくて、運転に集中できず迷いが出る。すると、彼は力になろうとして口を出し、それがさらにあなたのずれをひどくし、するとまた夫は力になろうとして……という不愉快な悪循環が起こっている。あなたがたのどちらもある種の行動パターンとものの言い方が習慣化しているだけでなく、その状況に関する思考や感情も習慣化している。

あなたが苛立って不満でいる場所からは、解決策は見つからない。あなたの運転技術も向上しない（もっともあなたは運転技術を向上させる必要があるとは思っていない。運転が問題ではないから）。それに夫の態度を変える方法も見つからない。だからあなたが状況に対する感じ方を変えない限り、事態は何も改善しない。

多くの人はこの状況を聞いたら、「彼に運転させなさい」とか、「別の自動車に乗ればいい」「よけいな口出しをするなと彼にはっきり伝えなさい」と言うかもしれない。しかしあなた自身、彼の助言が非常に有益なこともあると認めている。

この状況をなんとかしよう、解決しようと考えると、きっと相当の悪影響が出る。言い換えれば、「あれこれ指図して運転の邪魔をしないでくれ」とあなたが夫に言えば、あなた自身も有益だと思っている助言をしてもらえなくなる。どんな状況でも、「常にこうしてほしい、あるいは常にああしてほしい」と、誰かに頼むことは不可能だ。人生を単純化したいあまりに、往々にして自分はこういうことを望んでいると思い込むが、実はそれは現実的ではない。

あなたが本当に望んでいるのは、自分のもっと広い視点に自分を合わせ、その広い視点を有効に利用することだ。あなたが本当に望んでいるのは、あなたという「存在」のリソース全体と調和し、何をするにしても上手にできるようになることだ。

そこで約束するが、あなたが自分のもっと広い視点に自分を合わせられれば、何をするにしても手際よく、正しく、軽快にできる。直観が研ぎ澄まされて明晰になり、決断力もつく。それでも夫は運転中のあなたと一緒になってベストな選択肢を考えたがるかもしれないが、あなたの能力を疑って口出しするのではなく、建設的な共同創造をしたいと思って助言するだろう。

夫を変えることはできない。自分の行動を修正して事態を改善することもできない。だが、「自分自身」と調和することはできる。そして自分自身と調和すれば、すべてがうまくいく。

そこで、この場合もあなたがすべきことは同じだ。まず自分が今いる場所から考えるのだが、少しでも明るい気持ちになるように、「流れに乗って」「本当の自分」に合わせた考え方をしようと心がけること。

人によっては、「エイブラハム、悪いけど、もううんざりです。だって、あなたが言うのはいつもわたしが何をすべきかということではありませんか。あなたはほかの人がどう変化すべきか、ということは決して言わない。いつも努力して変えなくてはいけないのはわたしだなんて、不公平じゃないですか」と言うかもしれない。わたしたちがいつもあなたとあなたの選択肢についてだけ話すので、おもしろくないと思うのも理解できる。だが、これについても流れに逆らう見方と流れに乗る見方がある。

「いつも、変わらなければならないのはわたしじゃないか」（流れに逆らっている）

「自分の人生を変える力は自分にある」（流れに乗っている）

「相手が違うやり方をしなければ自分の人生はよくならない」と思っていたら、あなたは無力な場所から抜け出せない。他人の行動をコントロールするのは不可能だから。したがって、そういう考え方は常に流れに逆らっている。

だが、何を考えるかは自分で選べるのだから、自分の感情は自分でコントロールできるとわかれば、そして練習すればどんなことについても「本当の自分」と調和できるとわかれば、自分の感情をうまくコントロールできるだけでなく、人生そのものが楽しい方向に展開していく。それが流れに乗った考え方だ。

夫はどうして口出しをするのかと考えていたら（「以前、誰かの運転でひどい目にあったことがあるのか」「口出ししないと退屈なのだろうか」「人を支配しないと気が済まないたちなのか」「わたしはこれほど指図が必要な、へぼドライバーなのかしら？」）、頭が変になってしまうだろう。それでは事態はますます悪化する。こんな状況になったのはどうしてかを理解する必要はない。

ただ、今ここでこの状況に合った波動を出すのをやめなくてはいけない。

現状を見つめ続けていたら現状が維持されるだけだ。どうしてこんなことになったのかと考えていれば、現状がそのまま続く。ネガティブな感情で行動を起こしても、現状が続く。状況が改善されるのは、あなたの感じ方が改善されたときだけなのだ。

そこで、今いるところから始めて、もっと気持ちが明るくなる、流れに乗った考え方を探そう。そんなふうに心がけていると少しずつ考え方が明るくなることを意識し、さらに明るい考え方をするように努力してみよう。


「運転中に夫にいちいち指図されるのはおもしろくない」

「そんなに自信があるなら、自分で運転すればいいんだわ」

「でも、ときには有益な助言もある」

「彼は運転していないから、あちこち見回してわたしが気づかない選択肢を見つけることができる」

「一人より二人のほうがいい判断ができることが多い」

「運転中にわたしが失敗しても、彼は決して嫌な顔をしない」

「彼はわたしに嫌な思いをさせようと考えているわけではない」

「彼はよかれと思って助言している」
「お互いの調子が合えば、本当にすべてはうまくいく」
「関心を持ってくれるパートナーがいるのはうれしい」
「わたしたちは本当に一緒に行動している、という気持ちになれる」
「彼が関心を持ってくれてうれしい」
「彼の助言はありがたい」
「わたしはいいドライバーだ」
「わたしはいいドライバーで、いい助手がいる」
「わたしたち、本当にいいチームだわ」

事例7

職場が楽しくありません

どんなときでも流れに乗った考えを持つ

質問

「今の会社で働き始めてからちょうど1年になり、いい仕事をしています。小さな同族企業で、従業員数は約20名です。従業員のなかにはオーナーの一族も数人いますが、ほとんどは関係ありません。わたしがいちばん新人で、就職したときには職務内容が具体的に決まっていましたが、小さな会社なのでどうしてもほかの仕事にも関係するようになります。自分の仕事はよくやっていますし、わたしはたいていの人より手早く、ここで働くのが大好きです。

ところが困ったことがあります。同僚のほとんどが能力いっぱいの仕事をしていないことに気づいたのです。みんな自分の力を出し惜しみして、できる限りの努力をしていません。そしてベストを尽くそうとしているわたしに、恨みがましい気持ちを持っているようです。わたしができるだけがんばると、それが高すぎる基準になり、自分たちもその基準をクリアすることを求められると思うのか、それとなく、ときにはもっとあからさまに、わたしの足を引っ張ろうとするのです。

わたしはこの会社の仕事がどれも好きですし、どこの部署の仕事でも求められればできるのですが、ほかのほとんどの人たちは仕事に自分を合わせるのではなく、仕事を自分のしたいことのほうへ引き寄せようとしていて、達成感のない仕事はいつもわたしやほかの二人の新人に押しつけます。それに

ついて何か言うべきだと思うのですが、トラブルを起こしたくはありません。それに同僚たちの怒りを買うのも嫌です。

会社を辞めて転職することも考えましたが、もう三度転職していますし、いつでも同じような状況に陥るようなので、職場というのはどこへ行ってもこんなふうなのかもしれません。それに転職するたびに新しい環境で一からやり直し、自分の居場所を作らなければなりませんし、最初は給料も下がります。

どうしていいかわかりません。会社を辞めたくはないが、しかしとどまりたくもない。宝くじでも当たるといいのですが」

どこの職場でも同じような状況に陥るというあなたは、ある種のパターンにはまっていると気づいたほうがよろしい。同じようなパターンが起こるというのは、望んでいるか否かにかかわらず現状を見つめていると、その観察された事柄があなたの波動のなかで活性化するので、「引き寄せの法則」によって次の環境でも同じことが起こり、それが続くからだ。

あなたの波動のなかで最も活性化された出来事が起こり続ける。これをのみ込めない人は多い。その人たちは自分の周りで起こっていることを見ないではいられないと思う。だがそうやって執拗に現状を見つめる人の問題点は、望まないことを見つめていると、望まないことをもっと引き寄せてしまうことだ。だが望まないことを見るのにも、プラスの面がある。望まないことを見ると、自動的に願望のロケットを外に向かって発射することになる。望まないことを見れば、自分が望むことが以前よりもっと明確になるからである。

そこであなたが職場で不公平だ、不当だ、不適切だということを見ると、その瞬間にもっといい職場環境という「波動の預託口座」が創設され、あなたの「内なる存在」はそのいい職場環境に関心を集中する。実はあなたが感じるネガティブな気持ちは、あなたが望まない「現状」に焦点を置いているのに、「内なる存在」はもういい職場環境という思考に移動してしまっているために起こるのだ。

そこで、次のような「流れに逆らう／流れに乗るというプロセス」が、今あなたが職場環境に望むことに自分を合わせるのに役立つだろう。


「ほとんどの人がベストを尽くしていないのは正しいとは思えない」

「仕事もせずに給料を受け取っている人を見ると嫌な気分になる」

「彼らは出勤さえすれば給料がもらえると思っているらしい」

「ただ会社にいれば、仕事をしてもしなくても給料をもらう権利があると思っているようだ」

「わたしがきちんと働くと、やたらに目立ってしまう」

「オーナーは会社で何が起こっているのかまったく知らない」
「もし知ったら、ほとんど全員を解雇するだろう」

どんな状況についていても激しい感情を持っていると、最初はどうしても今この瞬間の思いを表す言葉、流れに逆らう言葉が浮かんでくる。しかし「引き寄せの法則」は常にあなたの波動のなかで最も活性化している部分にスポットライトを当てる、ということを忘れてはいけない。だから何かに苛立っていたら、ますます苛立たしい考えがわいてくるのは当たり前だ。流れに逆らう／流れに乗るというプロセスの目的は、あなたをとらえている思考の力を和らげ、流れに乗って気持ちが明るくなる考えへと自然に方向転換することにある。そうやって流れに乗ることに焦点を置いていると、いずれは気持ちが明るくなる思考が優勢になる。そして人生はどんどん好転し始める。

それでは、ホッとして気持ちが楽になる考え方を探してみよう。

「まだ会社を辞めるかとどまるかという重大な決断をする必要はない」
「会社のオーナーが従業員のことを知っているのか知らないのか、本当は自分にはわからない」

「自分は意見を聞かれてはいないから、見たことを告げなくても別に悪いことをしているわけではない」
「実はわたしはここで働いているほかの人たちのことをよく知らない」
「彼らの行動の動機が何なのか、本当に理解しているわけではない」
「ほかの人たちが何をしてもしなくても、本当はわたしとは関係ない」
「わたしはここでできるいろいろな仕事が好きだ」
「わたしはたいていの仕事におもしろさを見つけることができる」
「わたしはどんな仕事でも興味を持ってやれる」
「ここで嫌な気持ちになるのは、誰かあるいは何かに対立するときだけだ」
「その気になれば、わたしは安定した幸せな気分でいられる」
「ほかの人たちの意見は気にしないほうが自分のためだ」
「ほかの人たちがわたしをどう思っているか、正確なところはわからない」
「ほかの人たちにどう思われていると自分が考えているか、わかるのはそれだけだ」
「自分の考えはその気になればコントロールできる」
「わたしが経験することはすべて、波動のなかでもっといい状況を具体化するきっかけになる」

「だからこの職場で感じるトラブルは、実はわたしが将来のもっといい経験に自分を合わせるきっかけを作っている」

「そのいい経験に迅速に到達できるかどうかはわたし次第で、もっといい経験という思考に自分を合わせるか引き離すかという選択で決まる」

「わたしは流れに逆らう思考を選ぶことも、流れに乗る思考を選ぶこともできる。いずれにせよ、選ぶのはわたしだ」

事例8

再婚した夫と10代の息子がうまくいっていません

二人を同時に満足させられるか？

質問

「わたしは以前結婚したことがあり、ティーンエイジャーの息子がいます。その息子と今の夫がうまくいきません。あからさまに敵対するわけではないのですが、夫は始終息子にいろいろ小言を言い、息子のほうはそれを嫌がります。

息子は頭がよくて独立心が旺盛です。何かに夢中になるとのめり込みますが、なんでも自分のやり方でやりたいので、人に教えられたり指図されたりするのを好みません。それで、いつでも息子と夫はいがみあいになり、わたしは真ん中に挟まれてつらい思いをします。

夫には子どもはどうあるべきかという確固たる信念があって、息子が夫やわたしに対して無礼だと烈火のごとく怒ります。このことでは夫に全面的に賛成というわけではないのですが、でも夫の味方でいたいと思います。

二人の争いに疲れ果てました。正直なところ、義理のある仲の家族は幸せにはなれないんじゃないか、とさえ思います。血のつながらない子どもを本当に愛している親なんて、いるのでしょうか？」

この状況であなたがどんなに嫌な思いをしているかは確かに理解できるが、ここで重要なことに気づけば、とても役に立つと思う。ほかの人々との関係をうまくやっていくのは比較的簡単だ。相手の要求どおりにして相手をいい気持ちにしてやれば、良好な関係を維持できる。

あなたがほとんどの人たちの要求どおりにしてやれば、みんなあなたに好意を持ってくれるだろう。多くの人たちはそうやって人間関係を作っている。どちらか一方が支配的な役割を演じるのだ。従属する側は従属し、支配する側は支配して、多かれ少なかれそれぞれが選んだ役割を受け入れる（多くの人間関係がある程度はこの形をとっていると聞いたら驚くかもしれない）。だが、今度は違うことをあなたに要求する第三の人物が加わると、人間関係の基盤が揺らぐ。

あなたの場合、あなたと息子の関係は既に確立されていた。そして、あなたは気づいていないかもしれないが、息子が支配する側、あなたは従属する側の役割を引き受け、それがそれぞれの性格に合っていた。息子さんは自立心旺盛で、それにだいたいは自分でなんでもできて、それなりに快適な人生を送っているから、あなたは息子をコントロールする必要があるとは感じなかった。そこへ新しい配偶者が登場して、支配する役割を望み、そのためにバランスが崩れた。

一人を喜ばせるのはそう難しくないが、二人が別々のことをあなたに望むと、あなたはどちらを喜ばせるかを選ばなければならなくなる。二人がほかのほとんどの人と同じだったら――自分が最高の気分になるには、自分にとって必要な反応をあなたから引き出さなければならないと思っていたら――あなたは実に困ったことになる。両方を喜ばせるわけにはいかないからだ。こういう状況では、あなたが多くの人を喜ばせようとすればするほど、どの相手も喜ばせられなくなる。そして全員が不快な気分になる。

あなたがどう思いどう行動するかを相手が重視していると思えば、ある意味では気分がいいかもしれないが、これはどこから見てもあなたにとっては罠《わな》だ。あなたはほかの人たちの要望を満足させるために生きることはできない。そして、こういう状況で唯一あなたに成功のチャンスがあるのは、自分の人間関係を劇的に制限することだけだ。言い換えるなら、自分はたった一人の主人に仕えるしかないと気づくことである。

関係者はあなたに期待し慣れているから、あなたの新たな決心がまったく気に入らないかもしれない。だがあなたは決断すべきだ、というのがわたしたちの忠告だ。これからは自分と「拡大した自分」の波動を合わせる努力をする、という決断をするのだ。言い換えれば、あなたは現在の思考をいちばん拡大した自分に同調させるためにベストを尽くし、ほかの人たちは――それにその人たちの意見も――全部、方程式から外して放っておく。

この新しい決断は最初は混乱をもたらすだろうが、いずれはあなたにとって大きな利益になる。なぜなら、あなたはもう全員を喜ばせようと無理な努力を続けることはできない。そんな努力を続けようとすれば惨めになるし、どうせみんなを喜ばせることはできない。あなたは自分を「拡大した自分」に同調させるために、あなた自身の「内なる存在」と波動を一致させるために、自分自身を喜ばせようと決心しなくてはいけない。

あなたの波動が整えば、ほかの人たちのためにもなれる。だが、彼らも満足するには自分自身の波動を整えようと決意しなければならない。**彼らに「自分の幸せは自分の責任だ」と教えなさい。そうすることによって、あなたはやっと自由になれる。**

そこで、いつものようにまずあなたがいる場所から始めて、だんだんと気持ちが明るくなるように努力しよう。

「夫と息子はうまくいかない」
「どっちも相手が嫌いなんだろう」
「夫は息子のことになると神経質すぎるし、強圧的だ」
「息子はわざと必要以上に事態を悪化させる」

これがあなたの今の感じ方だ。次に気持ちが明るくなる言葉を探そう。これはあなたの暮らしのなかでしょっちゅう起こる問題だから、取り組む機会はいくらでもある。そしてあなたが流れに乗るたびに、事態が明らかに好転したとは思えなくても、あなたの波動は改善されていく。しっかり自分を整えようと決意していれば、あなたは影響力を持つことができて、いずれは目に見える変化が起こる。それに、夫と息子の行動が変わるより先に、あなたの気持ちが明るく前向きになるというおまけもある。

二人の不仲のかなりの部分はあなたの反応に起因している、と気づくことも大切だ。どちらもあなたとあなたの反応を利用して、自分の「対抗心」を正当化しようとしている。この人間関係から、おろおろしているあなたという存在を切り離せば、状況はずっと落ち着くだろう。言い換えれば、炎はまだ上がっているが、あなたはもうガソリンを注がない、ということだ。だから、あなたがホッとして気持ちが楽になるような言葉を探すこと。

「二人ともいい人たちだ」
「二人はこの新しい家族関係のなかで、自分の場所を見つけようとしている」
「いろいろな力学が働いているけれど、そのすべてをわたしが解明する必要はない」

ここでやめてもいい。もう気分が明るくなっている。当面の目的は達成した。だが、もっと続けようと思うなら、この勢いを生かすこともできる。

「実は自分がよけいに状況を悪くしていたと思う。もうそんなことはしないから、これからはきっとよくなる」

この言葉はさっきよりあなたを不安にさせるかもしれない。あなたはまた、二人の関係の責任を自分に負わせようとしている。ただ、今度は気持ちが明るくなる言葉か暗くなる言葉かわかるから、流れに乗る努力を続ければいい。

「これもいずれは過去になる」

「息子はそのうち家を出て、自分で暮らしていくだろう」

これもあなたを不安にさせるかもしれない。あなたは息子がこの家では歓迎されないと感じて出て行くのを望んでいないからだ。そこで、もっと気持ちが明るくなる言葉に言い換えよう。

「子どもは自立したがる」

「ほとんどの子どもは、自立する力がつくずっと前から自立したがる」

「子どもが自分を支配しようとする相手に反抗するのは自然なことだ」

「新しくかかわった人物が自分を支配しようとすれば、なおさら反抗するのは当たり前だ」


このような言葉で息子の行動に対するあなたの気持ちは楽になるだろうが、夫の行動に対しては前よりネガティブな気分になるかもしれない。そこで、こんなふうに気持ちを楽にしてみよう。


「夫にとってはどれも慣れない目新しいことだ」

「彼は息子のためを思って行動している。それはわかっている」

「彼は新しい家族のなかで自分の役割を見つけようとしている」

「家庭の雰囲気作りはわたしがすればいい」

「わたしがおろおろせず、バランスを保っていれば、二人にいい影響を与えるだろう」

「誰だって明るい前向きな気持ちでいたい。何があってもわたしが明るい前向きな気持ちでいれば、きっといい影響がある」
「明るい前向きな気持ちは伝染するものだ」
「わたしは前から雰囲気を明るくするのが得意だった」
「わたしは楽しく陽気に過ごすのが好き」
「ついつい人生を深刻に考えてしまうけれど、それはやめたほうがいい」
「ここではすべてがうまくいっている」
「大きく見れば、わたしたちはとても恵まれている」
「自分の願望が拡大成長するのを見て楽しもう」
「本当の自分と調和がとれていれば、楽しい経験ができるはずだ」
「わたしは人をコントロールするつもりはないけれど、でも影響力を及ぼすことができるのは楽しいだろう」

常に流れに乗った思考を心がけて実践すれば、エネルギーを分断しているときに比べて、あなたの影響力はとても大きくなる。今までの苦労はあなたが願望を明確にするのに役立った。そのうえで流れに乗った考え方を実行すれば、あなたは三人の関係の拡大したバージョンに自分を合わせることができる。

事例9子ども時代に経験した波動を今調整する

父が亡くなったあと、バランスを回復できないのですが

質問

「父が亡くなったのはもう1年以上前ですが、わたしはいまだに立ち直れません。自分でもどうしてこんなに悲しみが深いのかわからないのです。もううちを出て20年以上になりますし、最近ではめったに父に会うこともありませんでした。ここ数年はせいぜい1年に一度くらいで、それも短期間訪れただけです（そんなときでも、父とはあまり話をしませんでした）。わたしたちにはあまり共通点がなかったのです。なのにどうして、父の死にわたしはこれほど打撃を受けたのでしょうか？」

あなたは血と肉と骨でできた身体で生きているが、それ以上に「波動としての存在」でもある。今日、あなたは新しくみずみずしい波動を出している。それはあなたが現在焦点を絞っていることから生じる波動だ。だが、たいていの人には過去の経験の残りかすの波動がたくさんある。ある思考の波動の勢いを新たに別の方向に変えるよりは、そのままにしておくほうが容易だからだ。

例えばあなたに何か悩みがあって、数日前からそのことを考えていたとする。誰かと話していたら、相手はあなたの悩みをわかってくれたので、二人で詳しく長々とその悩みについて語り合う。そのとき、あなたがた二人にとっては、暗い悩みについての会話を続けるほうが、話題を変えるよりもずっと容易なはずだ。そこに誰か別の人が加わっても、たぶん同じ話題に参加するだろう。あなたがた二人が積み重ねた勢いがあるからだ。さもなければ、別の人たちは立ち上がって会話から離れるだろう。しかし、その人たちがまったく新しい話題を提供することはあまり考えられない。

同じように、あなたは子どものころ、まわりの環境に反応して波動を出すことを学び、それによっていわばあなたの出す波動の方式が決まった。普通はその環境に何年もとどまっているから、また同じ家で両親も決まった方式の波動を出しているから、小さいころから身についたある種の考え方、波動の出し方、人生に対する対応のパターンが出来上がる。その波動の勢いを変更するよりも持続するほうが容易だから、たいていの人たちは両親の家を出たあとも多くの波動を持ち越している。

あなたは気づいていないかもしれないが、現在の人生に対する反応の仕方は、ごく小さいころにできた物質世界への認識に大きく関係している。簡単に言えば、あなたは幼いころに世界観を学び、それを変更するよりも持続するほうが容易だから、年月がたってもそ

の世界観はあまり変化せずに残っている。

ところで、これは両親の考え方のすべてにあなたが賛成していたという意味ではない。わたしたちが言っているのは、あなたがたが思考と普通よぶものよりもさらに深い波動のことだ。安定、安全、幸せなどの概念は、たとえその環境が世間的に見て水準以下であったとしても、幼いころの環境で育まれる。実際、すべてが関連しているから、人生における幸福感は子どものころの環境に深く根ざしている。また、その後も生きていくなかで、多くの無意識のレベルでその波動を維持している。**「引き寄せの法則」はあなたという「存在の波動」に反応するし、現在の波動には遠い過去にさかのぼるパターンがあるので、ある意味ではあなたは依然として過去に縛られていることになる。**

しかし、あなたは多面的な「存在」で、今充実した活動的な人生を送っている。そこで、子ども時代に根ざす波動のベースを今も維持しながらも、あなたの波動は成長発展し、今日のあなたは過去とは関係のない波動をたくさん出している。また、この成長発展は徐々に進むので、自分でもそれに気づいていない。それで引き続き未来を志向し、新しい思考パターンに自分を合わせながら、安定性も維持している。これがすべての「存在」が経験する成長発展である。

父親の死によって、あなたの関心は現在の人生から過去に移動した。言い換えれば、短

期間のうちにあなたは子ども時代へと焦点を変え、そのころの経験を思い出して考えた。何年も話したことがない、それどころか思い出しもしなかった人たちと話をした。その数日間の濃密な経験のなかであなたの過去の波動が再活性化されたが、その波動は「現在の」波動と合致していない。それで、あなたはバランスが崩れたと感じている。

あなたの人生はあなたにもっと多くを望むように仕向けてきた（あなたは願望の波動ロケットを「波動の預託口座」に向けて打ち上げてきた）し、拡大成長する自分に上手に自分を合わせてきた。ところが、父親の死によっていきなり過去に目を向けたために、流れに逆らうほうへ方向転換してしまった。これはいつだっていい気持ちではない。

あなたがおおかたの人と同じなら、多かれ少なかれ次のようなシナリオを生きてきたはずだ。あなたは誕生した。人生はあなたに自分の願望を明らかにするように仕向けたが、あなたの独特な願望は両親には喜ばれなかった。両親はあなたを指導しようとした。あなたはときには従い、ときには従わなかった。あなたが何かに強い願望を抱いたときには、あなたが勝った。両親が強い願望を抱いたときには、両親が勝った。だが、たいていはあなたが勝った。なぜなら両親ではなくあなたの人生だから。しかし両親を（ほかの誰でも同じだが）喜ばすために生きると、拡大成長する自分とのバランスがとれず、自分の願望に合致したことをするとバランスが回復した。歳月が流れ、あなたは両親とそれほど話をしなくなり、両親の思考はあなたの波動のバランスの大きな要素ではなくなった。あなたは両親とは関係のない物事に関心を向け、両親はあなたとは関係のないことに関心を向けるようになった。

いつだって他人があなたに望むことに応じようとしないほうが、容易に波動のバランスを確立し維持できる。そして自分の波動をうまく整えていけば、「引き寄せの法則」が働くから、あなたと合わない人たちが経験のなかに入ってくることはない。だが、あなたが自分自身とうまく調和していなければ、いろいろと興味深い人たちを引き寄せてしまうだろう。

居心地の悪い環境から離れれば、誰でもホッとして気持ちが楽になる。だがそのときでも波動のバランスが確立するまでは、過去と似たような組み合わせの関係に飛び込んでしまいがちだ。強圧的な父親のもとで育った少女は、実家を離れても、非常に支配欲の強い男性と結婚してしまったりする。人と場所は違っても経験そのものは以前と同じまま、というわけだ。

さて、あなたと父親の関係の波動を、流れに逆らうか流れに乗るかという観点から考えてみよう。あなたと父親との関係は、長い間に変化した――父子関係に関するあなたの波動のバランスは常に成長している――が、あなたは今いる場所から始めるしかない。このプロセスでは、過去に関する思考がたくさん浮かぶことに気づくだろう。これまでいわば眠っていた思考が、父親の死によってよみがえるからだ。

そのような思考からさまざまな感情が生じるのは、その思考が今活性化されているからだ。そしてその感情が嫌なものなら、その思考は流れに逆らっている。また、流れに逆らう思考は、自然な方向（あなたという「存在」の拡大成長）に逆行している。だからそのような思考は修正して、ホッとして気持ちが楽になる考え方を探し、カヌーを「真の自分」の方向へ向けたほうがいい。それがこのプロセスの目標である。

「何だか落ち着かず、居心地が悪い」
「わたしはひどく落ち込んでいる」
「まだ、父の死に対する心構えができていなかった」
「自分ではどうしようもない」
「もっと、父と一緒に過ごせばよかった」
「一緒に過ごしても、本当はどちらも楽しくはなかった」
「実は父が何を考えていたのかわからない」
「父が本当は何を望んでいたのかもわからない」

「父の人生がもっと充実したものだったらよかったのに、と思う」

これは皆、今のあなたの感じ方を表しているし、どれも明らかに流れに逆らっている。そのことは別に悪いことではない。今の状況では当たり前だ。とはいえ、あなたは自分という「存在」の流れに合っていない。だから、ホッとして気持ちが楽になる考え方を探そう。

「わたしはいつだって父親といい関係になることを望んでいた」
「もっと努力すればよかった」
「でも、ほかにどんなやり方があったのかわからない」
「わたしたちは別に悪い関係だったわけではない」
「だいたい、わたしたちに『関係』とよべるものがあったのかどうか、確信がない」

まだあまり改善されていないが、ホッとして楽な気持ちになりたいというあなたの願望は大きくなっている。だから、この調子で続ければうまくいく。

「わたしたちの関係は、あれはあれでしかたがなかった」

「父子関係は、わたしたちそれぞれの多面的な人生のごく一部にすぎない」

「わたしは父のために生きることはできないし、父だってわたしのために生きるわけにはいかない」

「別に何が悪かったわけでもないかもしれない」

「あるがままでいいのではないか」


あなたはだいぶ気持ちが明るくなっている。流れに逆らって漕ぐのをやめたからだ。

「でも、もしわたしがああしていたら……」

これは流れに逆らっている。もう一度やり直してみよう。


「父子関係はわたしにとって大切な経験だった。でも、それだけがわたしの経験ではない」

「両親が与えてくれた子ども時代の経験には感謝している」

「時間を戻して生き直すことはできない」

「それに時間を戻して生き直したいとも思わない」

このほうがいい。この調子で続けよう。

「わたしにはほかに考えることがたくさんある」
「わたしにはは前向きな人生経験がたくさんある」
「過去は確かに自分の一部だが、現在のほうがはるかに大切だ」
「わたしは自分の人生にとても満足している」
「わたしはとてもいい人生経験のスタートを切っている」

これとは違った波動の層がまた顔を出すかもしれないが、そのときどうすべきかはもうわかっているはずだ。

多くの場合、親に死に別れると、自分もいつかは死ぬのだと意識させられて、人生は短すぎるという思いが浮上する。あなたがつい暗い気持ちになるシナリオは限りなくあるだろう。だがそんなときには、暗い気持ちになるのは思考が流れに逆らっているからだと思い出さなくてはいけない。そして、少しだけ気持ちが明るくなる考え方を探すことだ。

また、親に死に別れて初めて自分の波動を整えることになる場合も多い。両親と同じ家で暮らしていたときに波動の強力なベースが出来上がっているから、今のあなたには邪魔になっている多くの思考が子ども時代に結びついていることは珍しくない。**暗い思考をつきとめ、ホッとして気持ちが楽になるような、流れに乗った方向へ転換すれば、親の死は人生の大きなターニングポイントになる可能性がある。その過程で、長年気づかないできた抵抗のパターンを容易に捨て去ることができるだろう。**

あなたが今より明るい前向きな気持ちになるだけでなく、拡大成長した自分という「存在」の波動とのつながりを明確にして、そのつながりという視点から子ども時代や過去を振り返ることができればいい。わたしたちはそれを期待している。そうすれば子ども時代の記憶は、いつもあなたが望んでいたとおりの甘く懐かしい思い出になるだろう。

「わたしは素晴らしい子ども時代を過ごした」
「いろいろな意味でいい子ども時代だった」
「わたしはこの素晴らしい人生に送り出してくれた両親に感謝している」
「両親はわたしに道を教えて、それから自由に自分の人生を切り開かせてくれた」
「生きるって、いいものだ」

人生には、そこに焦点を置き続けたら強いネガティブな感情を生じさせそうな出来事がたくさんある。そしてその大半は、あなたがたにはコントロールできない。

あなたが父の死を防ぐことはできないし、父の性格を変えることもできない。だが、たった今できるだけ明るく前向きな気持ちになる思考を探すというやり方を身につければ、つまり自分の感じ方を大切にして、意図的に自然な流れの方向へ向けていけば、周りの状況がどうであろうと、あなたは楽しく生きることができる。

事例10

親が過干渉で困っています
不愉快なのは他人のせいではない

質問

「ぼくはまだ高校に通っています。両親と暮らしていて、ごく普通の高校生だと思います。本当は学校が嫌いだけど、成績は悪くないし、いろいろなことに興味を持っているし、すごくいい友達が二人います。

だけど両親に何もかも干渉されて、頭が変になりそうです。何をするのにも親の許しを得ないといけないし、親はいつもぼくが悪いことをしているか、悪いことをたくらんでいると考えているみたいな態度です。それで一緒にいるとどうしても不愉快になるし、それどころか家に帰ると思うとぞっとします。

さっさとうちを出て自立し、やりたいことができたらどんなにいいかと思うけれど、学校は卒業しなくちゃいけないだろうし、だいたいやりたいことをする前にどうやって生活していけばいいかわかりません。

とにかく両親がぼくのことを放っておいてくれればいい、と思います。しょっちゅうなんだか後ろめたい気分なのです。別に悪いことはしていないのに。うちの親はどうかしているんでしょうか？自分たちは自分たちの生活をして、ぼくのことは放っておいてくれればいいじゃないですか。どうしてそれができないんでしょうか?」

ここで、「両親の身になって考え、少しは両親の見方を理解する努力をしてごらん、そうすれば答えがみつかるだろう」ときみに言うこともできる。だが、本当は他人の立場にはなれないし、どっちにしても他人の見方で見る努力をしようというのは、あまりいい思いつきではない。きみの波動がますます混乱するだけだからだ。もちろんほかの人のほうがいいことを考えていて、きみも自分の「創造のプロセス」にその考えを取り入れようという場合もあるかもしれない。だが、ほかの人の生き方をいっぺんにまるごと真似ようとするより、きみ自身の全体的な意図と一致している面も含めて人生のいろんなことを一つひとつ自分で整理していくほうが簡単だ。

要するに、ほとんどの親子関係のトラブルのもとはそこにある。きみの両親は自分たちのほうが人生経験があるし、年もとっていて賢いと信じていて、人生で積み重ねてきた知恵をきみのために役立てたいと思っている。「自分の人生経験の創造者は自分自身」ということをまず忘れるのは、たいてい親のほうなんだ。きみが生まれた瞬間から、両親にとってはきみときみの幸福がとても大切だった。だからきみときみの人生を「自分たち」が創造しているように思ってしまう。そこから親子関係はこじれる。

自分の人生を生きてきて、またきみの生き方を見ていて、両親にはきみの幸福と人生に関する願望が生じる。そしてついつい、自分たちが創造したビジョンにきみを合わせるためにきみの行動をコントロールしなければならないと思ってしまう。今、わたしたちがきみの両親を訪ねるとしたら、そんなことはやめなさいと忠告し、自分自身の波動を整えるように導いてあげるだろう。だが、今はきみの両親に話しているわけではないからね……。

きみの両親になら、両親を喜ばせるために自分の行動を修正するのは息子であるきみの仕事ではない、とわたしたちは言うだろう。それと同じようにきみにも、きみを喜ばせるために自分の行動を修正しろと両親に言うのは間違っている、と言いたいのだよ。

きみは自分が不愉快なのは両親の行動のせいだと思っているね。それはわかるが、きみが両親の行動についてどう感じるかは自分で選べると気づいたら、そのときに初めて、きみは今いる場所で自由を見いだすことができる。だが、自分の気分をよくするために両親のほうが変わるべきだと思っていたら(両親はたぶん変わらないだろう)、きみは罠にはまった気持ちになる。逃げ出したくなるのも無理はない。

もっと流れに乗った考え方を探せば、きみは人生がそうなるように仕向けている拡大成長した自分という「存在」と調和できるだろう。その「存在」と調和できれば自信が生まれるし、物事がよく見えるし、情熱的になれるし、幸せになれる(これはみな、両親がきみに望んでいることだ)。そして、きみがそういう態度を頻繁に示すようになったら、両親の気持ちも明るくなって、あまり口出しをしなくなるだろうね。

ここで、きみは言うかもしれない。「でも、努力するのはぼくばっかりじゃないか。ぼくが考え方を変えようと努力して、その調和というのを実現する。そうやってぼくの気持ちが前向きに明るくなれば、もっと親が喜ぶような行動ができる。そうなれば、両親のほうはぼくが変わったとうれしがるだろう。だけど、ぼくの気持ちをよくするために両親のほうだって努力してもいいんじゃないか?」

そこでもう一度言うが、わたしたちがきみの両親を訪ねるとしたら、両親が調和を実現するように導いてあげるし、きみの行動をコントロールすることはできないことを思い出させてあげるだろう。だが、きみが前向きで明るい気持ちになるためには誰かが変わらなければいけない、と信じている限り、本当に損するのはきみだということをわかってほしい。だって、他人の行動をコントロールすることはできないのだからね。きみが、自分の感じ方は自分自身の思考のエネルギーが整っているかどうかで決まることを理解すれば、そして、他人の行動とは関係なく、自分自身の調和を実現するために努力すれば、きみには力がつく。そして本当に自由になる。

だからわたしたちは、他人の見方を理解しようと一生懸命になることは勧めない。確かに、ときにはそれできみの気分をなだめられるかもしれない。しかし、きみをそうやってなだめようとするのは、きみを喜ばせるために両親の行動を変えようとするのと、いろいろな意味で同じことだ。たいていの人はそれが一番の望みだと思っているが、それはどんな場合でも非建設的だ、ということをわかってほしいと思う。

「自分が明るい前向きな気持ちになるには誰かの行動を改善する力が必要だ」と言うのなら、きみの人生はとても厳しいものになる。よくても限界があるし、悪ければ破滅的だ。自分の感じ方は自分でコントロールできる。なぜなら自分の思考を流れに乗るほうへ方向転換できるから、ということが理解できれば、きみは常に自分と調和していられる。そうすれば、いつでも前向きな明るい気持ちになれる。きみは自分自身のパワーを取り戻し、きみの影響力はとても大きくなって、何もかもうまくいくようになる。**それに自分の思考の方向をコントロールする**（それで前向きな明るい気持ちになる）**ことは比較的容易だということも付け加えておきたい。一方、誰かの行動を変えさせることは、不可能とはいわないまでも大変に難しい。**

ここでありがちな状況と、それに対するきみの反応を考えてみよう。そうすれば思考を流れに乗るほうへ方向転換するというのはどういうことか、わかるだろうからね。

きみは両親に、友達とどこかへ行く計画があると言う。結局は両親は外出を認めてくれるだろうが、しかしいつものように、友達の選び方だけでなく、行動の仕方についても、いろいろと嫌味を言う。そこで、きみは考える。


「ぼくにとって何が大事か、あんたがたにわかるのか?」

「ぼくにとって何が楽しいのか、あんたがたは知っているのか?」

「あんたがたには、楽しいことなんかないんじゃないのか?」

「そうだよ、あんたがたは楽しい思いをしたことがないんだろう」


両親の態度に接して、こういう考え方をするのは無理もないが、これはまだどれも流れに逆らう考え方だ。


「あんたがたはぼくの人生を理解していない」

「あんたがたはぼくの友達を認めようとしない」

「あんたがたは理解しようという努力を全然していない」


この考え方も理解できるが、しかし流れに逆らっている。きみが明るい前向きな気持ちになるために、両親に変われと要求してはいけない。自分で気持ちを前向きに明るくする努力をすることだ。


「あんたがたが好きになってくれなくても、ぼくは友達が好きだ」

「彼がいい友達かどうかは、ぼくが自分で判断する」

「少なくとも、あんたがたはぼくの経験をいちいちコントロールしようとはしていない」

「友達と会ってしまえば、ぼくは楽しく過ごせる」

「あんたがたはぼくのためを思って、ぼくのためによかれと思って言っているんだろうな」

さあ、これできみの気持ちは前より明るくなった。

「だけど、何がぼくにとっていいことなのか、あんたがたにはわかっていないと思う」

これは流れに逆らっているね。

「でも努力してくれているのは認めるよ」

「それでも、ぼくは出かけるけどね」
「あんたがたは外出を禁止しようとはしないよね」
「もっとひどい場合だってあるもの」
「うちの両親はそれほどひどいほうじゃないんだろうな」

きみの両親が不愉快な態度をとり、両親に嫌な顔をされてもきみは外出する、という点では事態は何も変わっていない。だが、流れに乗る努力をしたおかげで、きみの波動はいつもよりずっとよくなった。だから、友達と遊びに行っても、いつもみたいに反抗心でむかむかしたりしないだろう。初めからもっと明るい自由な気持ちで友達と楽しめる。友達にグチることもないだろう。うちのことや両親のことが頭に引っかかることもない。きみはその瞬間の経験へと軽やかに足を踏み入れて、いつもよりずっと楽しく過ごす。帰宅する時刻になっても、以前のように帰るのが恐ろしいなどとは感じない。

きみの波動がすっかり変われば、きみの調和したエネルギーが両親にも影響を与える可能性がある。うちに帰ってみたら、両親はリビングできみを待っている代わりに、もうベッドに入っているかもしれない。それに今、目に見える変化があってもなくても、きみは前より前向きな明るい気持ちになっている。それは変化だ。そして、それで十分なんだよ。

事例11

友達が陰口をたたいているのですが

自分の反応はコントロールできる

質問

「わたしは高校に通っています。友達の一人（彼女は小さいときからの親友だったのです）が、どういうわけかわざとわたしの人生を破壊しようとしているみたいなのです。今でもわたしと話しているときは友達みたいに振舞っていますが、ほかの子にわたしのことをいろいろ言っていると聞きました。その子たちについてわたしが言ってもいないことを言ったと話して、仲を裂こうとしているらしいのです。いちばん困るのは、彼女が誰にわたしのことを告げ口しているのか、何を言っているのかわからないので、『そうじゃない』と説明できないことです。今ではみんなが彼女のウソを聞いているのではないかと不安で不安でしかたがありません。彼女はどうしてそんなことをするのでしょう？　どうしたらやめさせられますか？」

今のあなたはこういう答えは聞きたくないだろうが、しかしあなたの質問が間違っていることを理解してほしいと思う。彼女は「どうして」そんなことをするのかを知りたいと思っていると、あなたはその波動に長くとどまり、そのためにますます似た波動が引き寄せられてきて、ほかの友人までが彼女と同じような行動をしているのに気づく結果になる。**誰かに何かをやめさせようと努力しても無駄だ。**なぜなら、相手の行動を変える物理的な力や手段があなたにあったとしても、そう努力することであなたは自分の本当の願望とは正反対の波動を送り出してしまい、あなたのバランスがさらに崩れるからだ。

あなたの力はほかの人に「行動を変えろ」と要求するのではなく、その行動に対する自分の反応を変えるところにある。ほかの人の行動はコントロールできないが、自分の反応は完璧にコントロールできる。

何かに関心を向けていると、関心を向けたことに合致する波動があなたのなかで活性化する。だから「本当の自分」に合ったことに関心を向けていれば、あなたの「存在」の二つの側面の波動が調和するので、前向きな明るい気持ちになれる。何かに関心を向けているとネガティブな気持ちになるなら、あなたの「存在」の二つの側面の波動が調和していないという意味だ。自分のなかの調和にだけ関心を払うべきだということを理解すれば、そしてその調和を維持するように心がければ、あなたはほとんどいつも明るい気持ちでいられるだけでなく、人生はあなたが望むように進んでいく。

「自分自身の関心の焦点をコントロールすることで状況を変えなさい」と言われていることに気づくと、多くの人たちはこんな不満を抱く。「だが、ウソを言っている人はどうなるんですか？　それをなんとかすべきじゃないんですか？　悪いことをしているのは彼女なのに、どうしてわたしにばかり思考を調整しろと言うんですか？」もっともな疑問だが、それに対する答えは簡単だ。**他人が変化するかどうかであなたの幸福が決まるなら、あなたは決して幸福になれない。なぜなら、いつだって変わってもらわなければならない人がたくさん出てくるから。**

周りを見回してみれば、自分にはコントロールできないことがいくらでもあるのに気づくだろう。だが、自分自身の波動が調和するほうへ自分の思考を方向転換することを学べば、自分のなかで調和が実現する。調和が実現すれば前向きな明るい気持ちになれるだけでなく、力強い波動の信号を出すことができて、その信号に「引き寄せの法則」が作用する。ほかの人が何を考えても――たとえその人たちがあなたについて何かを企んだとしても――あなたが実現した力強い調和の「流れ」を覆すことはできないだろう。あなたがソースエネルギー――それが本当のあなただ――にアクセスして、そこに自分を同調させ、そこから力を汲み上げれば、あなたにとっていいことばかりが起こるはずだ。否定的な意図を持った人たちは、あなたの経験のなかには入ってこなくなる。

誰かがわざとあなたについてウソを言っているとしたら、それはその人が自分自身を好きではなく、自信がないという証拠だ。ソースエネルギーと調和している人ならそんなことをするはずがない。その相手が以前からの友達なら、「彼女が前向きな明るい気持ちになれるように助けてあげたらどうか」と言う人たちもたくさんいるだろう。あなたも彼女に明るい前向きな気持ちになってほしいと思い、何とか助けてやりたいと考えるかもしれない。だが、友達がバランスを崩していると知って、それを前提として相手をなだめようとしても、バランスを崩している部分を拡大してしまい、事態はますます悪化するだろう。

友達を助けたければ、友達のよい部分に目を向けなければいけない。そして友達のよい部分を見るためには、あなたが「本当の自分」と調和していなくてはならない。ホッとして気持ちが楽になる「流れに乗った」考え方を探していけば、あなたの気持ちは前向きで明るくなる。自分の気持ちが前向きで明るくなることにだけ焦点を絞る、それがあなたにとって必要なことだし、あなたにできるすべてであり、それで十分なのだ。

それでは、今あなたがいる場所から始めてみよう。

「友達だと思っていた人が、わざとわたしを困らせようとしている」
「彼女がどうしてそんなことをするのかわからないし、どうすればやめさせられるのかもわからない」
「彼女はもうわたしの友達じゃない」

「友達ならあんなことはしない」

どれも事実だが、あなたのためになる考え方ではない。あなたがホッとして気持ちが楽になる考え方を探そう。

「人は悪いうわさを信じたがる」

「彼女が誰としゃべっているのか、本当は何を言っているのか、わたしにはわからない」

これも真実だろうが、こういうことはあなたにはどうすることもできないから、あなたは流れに逆らう方向を向いて抵抗している。思い出してほしい。あなたの目的は今の状態をもう一度確認することではなくて、ホッとして気持ちが楽になることだ。

「彼女だって全員としゃべっているわけではない」

「彼女が嫌なことばかり話していたら、明るい気持ちでいたいと思う人たちは、彼女を避けるだろう」

「悪い話を耳にしても、たいていの人は誰がそんなことを言い出したのだろうと考えるはずだ」

「たぶん、みんなはわたしについての悪いうわさを広めることにはそんなに関心がないだろう」

「みんながわたしのことばかり考えているはずはない」

これで、あなたの気持ちは少しだけ明るくなる。せっかくいい方向に変わり出したなら、それをさらに進めよう。あなたにとっても、思考を整えて、友達のいちばん好ましい面に着目するとてもいい機会になる。その友人にあなたが悪口を言いふらしていると聞いた誰かが、「本当か」と尋ねにきたとしても、あなたが「本当の自分」と調和していれば、そんなのはただのうわさで、あなたとは無関係だとすぐにわかるだろう。だがあなたが怒って弁解しようとすれば、うわさが本当だからなのか、それともあなたがそんなことを聞かされて怒っているのか、判断がつかない。どちらの場合もあなたの波動は同じだからだ。

あなたが知っている人たちのいちばんいい面に思考を向けるようにしていれば、いずれは誰もあなたについての悪いうわさなど信じなくなる。彼女たちは（そんなうわさを聞いたとしたら）きっとこう言うだろう。「そんなの、彼女らしくない。彼女がそんなことを言うなんて、信じられないよ」そして、その直観は正しいはずだ。

「友達に前向きな明るい気持ちでいてほしい」
「いい友達がいるって、すてきなことだ」
「誰にでもいい日もあれば嫌な日もある」
「いい日のほうがずっと多いと思うとうれしい」
「『引き寄せの法則』ですべてがうまくいくと思うと、気持ちが楽になる」
「それに『引き寄せの法則』に反することは何も起こらないと思うと、気持ちが楽になる」
「自分の感じ方は自分でコントロールできると思うとうれしい」
「ほかの人の考え方や感じ方は自分にはどうしようもないが、それはそれでいい」
「友達が前向きな明るい気持ちでいるといいと思う」
「このことは心配しない」
「みんなうまくいくはずだ」

事例12 今ここから、ホッとする考え方を選ぶ

お金がないし、豊かになれる見込みもないなんて

質問

「『食事をして映画を見に行かないか』と友達から電話がありました。でも、できません。無駄遣いはいけないと思うだけでなく、本当にお金がないのです。あと2日すれば給料日ですが、今は全然お金がありません。アパートには食べ物はあります。たいしていいものじゃないけれど、缶詰のスープ、シリアル、グラノラ・バー、それにピーナッツバターとクラッカー……。なので、飢え死にはしません。

でも、お金がないのにはもううんざりです。友達のなかには、働いてもいないのにわたしよりお金を持っている人がいます。家族が送金してくれるんです。そんなだったら、どんなにいいでしょう！

わたしはもう一度大学に戻って、もっといい職につきたいと思っていますが、成果が出るまでには時間がかかります。それまでの間、どうすれば仕事と学業を両立できるかわかりません。誰かがお金をくれないかなあ、と思います」

非常に鮮烈な経験をしているときには、それに気づかずにいることは大変に難しい。今

の所持金が気になるのは当然だろう。経済状態があなたの人生経験に大きく影響しているからだ。あなたにとって大切な多くのことが経済状態に結びついている。今はお金がないという事実に目をつぶることはできないと思うが、それでもその状況をどう感じるかは自分で選べることを理解してほしい。言い換えれば、お金がなくて落ち込んだり怒りを感じたりすることもできるし、お金がないことをおもしろがることもできる。ほとんどの人は、自分の感じ方は状況で決まると考えている。「今は全然お金がないが、少しすると給料日だから、今お金がなくていつ収入を得られるかもわからないよりはずっとましだ」というように。

ある時点でのほとんどの人の感じ方は、状況をどう認識するかによって左右される。すべてが順調なら気持ちも明るい。うまくいかないと落ち込む。だから、多くの人たちは状況をコントロールする必要があると思い込む。

あなたがたが状況をコントロールしようと思いたくなるのはよくわかる。場合によってはある程度まで行動や努力で状況をコントロールできるからだ。しかし、波動という観点から世界や人生を見られるようになれば、物理的な行動よりも波動の調整に多くの努力を向けるだろうし、思考の力と影響力に気づくはずだ。そうなれば、歴史を通じて世界のお金持ちや有力者たちがよく知って応用してきた知恵があなたにも見つかる。

お金に不自由して苦労している間に、あなたには非常に素晴らしいことが起こっている。あなたは、自分が望まないとわかった不愉快な場所から、望むほうへと願望のロケットを打ち上げているのだ。あなたはもっと安定した暮らしがしたい、もっとお金が欲しいと思う。楽しくて収入も得られる仕事を見つけたいと思う。欲しいものを買い、楽しい経験ができる経済的余裕がほしいと思う。言い換えれば、今の状況をベースに、あなたはもっと多くのことを求める。そしてあなたが求めたことは、あなたが苦労している今、既に用意されてあなたを待っている。

ただし、暗いネガティブな気持ちでいる間は、求めるものに近づけない。暗い気持ちでいるのは、流れに逆らっていることを示しているが、求めるものはすべて下流にあるからだ。だから、自分とお金について、流れに乗る考え方を探さなくてはいけない。そういう考え方が見つかるまでは、何も変わりはしない。だから、少しでも気持ちが明るくなる考え方を探そう。

「金曜日が給料日でよかった。金曜日になれば、多少はお金が入る」

こう考えると少しホッとするはずだが、それもつかの間で、すぐにいつものパターンを思い出すかもしれない。収入があって数日はお金に困らないが、すぐにそのお金は使ってしまって、また不自由する、というパターンだ。つまり、あなたが暗い気持ちになるのは、今お金が十分にないだけでなく、ずっと苦労しないで済むほどの、あるいは自分が望む暮らし方ができるほどのお金がないせいでもある。もっと若いときにコツコツがんばっておけばよかったと後悔するかもしれないし、同世代の人たちと違って自分にはまだ大学卒の資格がなく、キャリアを選べないと考えて暗い気持ちになるかもしれない。大学に入ったときに両親がもっと援助してくれればよかったとか、一族が自分を迎え入れてくれるような事業をしていればよかった、自分には遺産が入る見込みもないなどと恨みたくなるかもしれない。

お金にはいろいろな根深い問題がからみついていて、そこをクリアしないと人生が明確にしてくれた願望のほうへ方向転換して流れに乗ることができないことが多い。言い換えれば、暗いネガティブな気持ちに襲われたら、ホッとして気持ちが楽になる考え方をなんとかして探すことだ。こうして努力していくうちに、少しずつ抵抗を放棄することができる。やがてはさまざまな思考や感情がからみつくお金の問題についてさえも、完全に抵抗を捨てることができるだろう。

「今自分がいる場所から始めるしかないし、それでいいのだ」と自分に言い聞かせよう。

今いる場所から、なんでもいいから少しだけホッとして気持ちが楽になることを考える。それからさらにもっと気持ちが楽になるほうへと考えを向けて、流れに乗る努力をすること。

「金曜日には給料が入るけれど、月曜日になったらまたお金がなくなっているだろう」
「わたしには楽に生活できるだけのお金が稼げない」

これが、あなたが今いる場所だ。今はそうだが、ちょっと努力をすればもう少し明るい気持ちになれる。

「わたしには仕事がある」
「その仕事はあまり好きではないが」
「でも、この仕事を見つけるのにそう苦労しなかった」
「わりあい簡単にこの仕事は見つかった」
「あのときも今も、ほかの仕事につくチャンスはある」
「本気になれば、もっといい仕事につけると思う」

これでほんのわずかだけ気持ちが明るくなる。ほんのわずかだが、しかし非常にいいことだ。もっと気持ちが明るくなる次のレベルへの扉が開くからである。

「あのときは、この仕事がぴったりだと思えた」
「もっといい仕事につきたかったけれど、あの当時はこれが自分にできるせいいっぱいだと思った」
「自分が何をしたいかは、あのころとは変わっている」
「その気になれば、もっといい仕事ができるだろう」

最後の言葉はその前のグループの最後の言葉とほとんど同じだ。だが今回は、あなたはもっと強くそう思っている。あなたの気持ちは目に見えて明るくなっている。

「わたしにもできる、もっと収入のいい仕事がある」
「あの人がもっといい収入を得ているなら、わたしにもできる」
「誰だって、今いる場所から始めるしかない」
「自分で努力してミリオネアになった人はたくさんいる」

「ほら、全然お金がないと思っていたわたしが、努力してミリオネアになることを考えているじゃないの」

今日のあなたの所持金の額はまったく変わらないが、この数分であなたの波動には素晴らしい変化が起こった。この感じ方の変化、それが貧乏人とミリオネアの違いなのだということを理解してほしい。だが、目に見える結果が出るまでこの変化を継続していくには、一度の努力では足りないだろう。言い換えれば、これからもお金について今のように自信を持って自由に明るく考え続けていけばそれで十分なのだが、また現状に関心が戻ってしまい、以前のような考え方に引き戻される可能性も大きいのだ。

今の気分をゆっくりとかみしめ、それを流れに乗った考え方をする試金石として使うぞと決意すれば、そしていつもホッとして気持ちが楽になる、流れに乗った考え方をするように心がければ、間もなくあなたの波動は願望とうまく調和するだろう。そうなれば、あなたがお金の心配をしなくなるだけでなく、実際の経済状態が波動の変化を反映し始めるはずだ。そう遠くない先にお金がどんどん流れ込んできて、どうして自分はあれほど長い間、この流れに抵抗していたのかと笑いたくなるだろう。

前向きな明るい気持ちになる考え方を探し続けなさい。

「いつも欲しいものを手に入れられるだけのお金はある」
「いろいろな経験をして、素晴らしいものを手に入れたい」
「自分が望むことは簡単に実現することがわかった」
「自分が何を望むのかをはっきりさせれば、それは実現する」
「ほかの人たちがどうしてお金に困っていないのか、わかった」
「もうお金のことは考えなくていい」
「わたしが何を望むかを人生が理解させてくれたときには、その望みが実現する完璧な状況がわたしの前に現れる」
「わたしにはいつも、実現へのどの道筋がいちばん楽しいか感じられる」
「どんなにたくさんの道筋が開かれているか、考えてみるととても興味深い」
「実に多様な道があり、どの道もそれぞれに素晴らしいが、どれもみな自分が求める経済的成功につながっている」

このような言葉からわき起こる感情を見つける努力を続けていけば、大きな前進になる。貧乏から経済的自立への前進だ。

今いる場所、そこが始まりだ。ほかの人と比べてどれほど豊かか貧しいかなどは問題ではない。あなたに限界はないのだ。人生はあなたが当面の目標を明らかにするように仕向けている。そしてあなたがホッとして気持ちが楽になる、流れに乗った考え方を見つければ、目標は達成される。「宇宙の法則」があなたを支えてくれる。「引き寄せの法則」が働いて、あなたにいちばん抵抗の少ない道筋を示してくれる。そこではあなたの人生は限りなくよくなっていく。

事例13

配偶者が見つかりません

好みでなくとも明るい気持ちでデートを楽しむ

質問

「しばらく前から身を固めたいと思っているのですが、なかなかいい人が見つかりません。実はいろいろな女性とデートしましたし、わたしに好意を持ってくれる人もたくさんいたのですが、こちらがその気になれませんでした。好きになれる人は見つからないし、断って相手の気持ちを傷つけたくはないしで、今ではデートするのが怖くなっているほどです。真剣に相手を探そうという気がないうちのほうが楽でした。今はどうしていいのかわかりません。デートしなければいい相手は見つからないでしょうが、デートしてもうまくいきそうもないのです」

あなたが心から何かを望み、だがそれと反対のことに目を向けていると、きっとネガティブな気持ちになる。あなたが心から何かを望み、しかしそれは実現できないと信じていると、そのときもやはりネガティブな気持ちになる。しかし、本気で望んでいなければ、それと矛盾する考え方をしていてもさほど気にはならない。言い換えれば、知らない人から電話がかかってきて、あなたと話をするのは今回が最後だと言われても、あなたは別にネガティブな気持ちにはならない。

何かを強く望んでいるときには、それにかかわる感情も激しい。願望実現への流れに乗る考え方に焦点を置いていれば、非常に明るい前向きな気持ちになる。だが、流れに逆らって願望の実現から遠ざかる考え方に焦点を置いていれば、非常に暗いネガティブな気持ちになる。

いい人と出会って身を固めたいというあなたの願望は、時間がたつにつれて非常に強くなっている。それはいいことだ。そして、願望の実現を前向きに期待していれば、状況や出来事が重なって完璧な配偶者が見つかるだろう。しかし、**いい配偶者が見つかることを望んでいる多くの人たちのどこがいけないかと言えば、誰かにこだわり、その人を完璧な配偶者に仕立て上げて、無理やりに人間関係を創造しようとすることだ。**このやり方はうまくいかない。流れに乗る方向を見失っているので、事態はますます悪くなっていく。

もっと気軽に楽しい姿勢で人間関係に臨めばいい。会う人ごとに「この人は自分の求めていた人か」と考えたりせず、「一緒に食事をして楽しもう」「会話を楽しもう」「今日一日、一緒に楽しく過ごそう」と考えれば、その出会いを自分の意図や願望を否定する口実に使うことにはならないから、宇宙はもっとたやすく迅速にあなたが望む出会いを実現してくれるだろう。あなたが「宇宙の法則」を信じ、創造的な生命の「流れ」を信じていれば、あなたが求めるものはなんでも見つかるだろう。だが、行動を通じて望みを実現しなければならないと信じていたら、たいていは流れに逆らうことになり、拡大する願望からどんどん遠ざかってしまう。

軽やかな気持ちで人々と過ごせば、同じように軽やかな気持ちの人たちを引き寄せるだろう。だが、相手が理想の配偶者かどうかと真剣に観察し続けていたら、やはり相手も同じように観察し、お互いに失望し続けるだけだ。

人と会うときに前向きな明るい気持ちでいれば、そして生涯添い遂げる相手を見つけようというのではなく、デートして今日を楽しもうと期待していれば、あなたが人間関係に望むことにあなたの波動が調和するだろうし、そうすれば宇宙は迅速に完璧な配偶者と会わせてくれるだろう。

誰かいい人がいないかと緊張して不安な思いでいれば、あるいはこっちはその気になれないのに相手が好意を持ったらどうしようと心配していれば、あなたは自分が望む方向とは逆の方向を向いているから、望まないこととあなたの波動が一致する。だから望まないことが起こり続ける。

理解すれば非常に簡単なことだが、どうしてもそれがのみ込めない人がいる。だがとても簡単なことなのだ。相手が理想の配偶者ではなくても、**明るい気持ちでデートを楽しんでいれば、あなたは自分の望みが実現する下流に向かっている。**しかし、自分の求める相手ではないとか、自分が断れば相手が悲しむだろうと心配して暗い気持ちでいれば、下流に向かっていないから、望みの実現とのギャップは縮まらない。

望みを実現するためには、今は望みが実現していないように思えても、たった今、明るい前向きな気持ちになる方法を探さなくてはいけない。今は明るい気持ちになれない理由が山ほどあるとしても、そんな理由は置いといて、気持ちを明るくする方法を探そう。あなたがいつも前向きな明るい気持ちでいなければ、望みは実現しないからだ。

まず、配偶者候補とのどのデートも、どの会話も、配偶者候補に関するどの考えも、人間関係についてのどの考えも、流れに乗って下流に向かうものにしようと決意すること。そして、思考が自然に流れに乗って下流に向かうまで、気持ちがホッとして楽になる考え方をする努力をしよう。そうすれば、新鮮な気持ちで明るい人生を送れるだけでなく、つまり幸せな人たちと次々に出会って毎日を楽しく過ごせるだけでなく、いつのまにか苦労もせずに誰かと出会い、お互いにこの人こそ理想的な相手だと気づくだろう。

そうなったら、駆け引きなどない。相手をじらすこともない。つれないそぶりを見せたり、「あなたを愛しているけれど、ここだけは変えてほしい」などと言うこともない。お互いに、この相手は自分が人生のなかで積み上げてきた完璧な問い掛けに対する完璧な回答だと思うだろう。そして、その人間関係はお互いにとって貴重な、どちらも満足できる、そしていつも自分を拡大成長させ、満たしてくれるものとなるだろう。

今のあなたの目標は、流れに乗る考え方をとって気持ちを楽にすることだ。だから、今いる場所から始めて、少しずつ気持ちが明るくなる方向へ思考を持っていこう。

「ぴったりの相手を探すのは難しい」
「向こうがその気になっても、こちらがその気になれない」
「相手の気持ちを傷つけたくないが、自分の望みの水準を下げるのも嫌だ」

こういう流れに逆らう考え方から始まるのは自然だが、今度は気持ちが明るくなる方向へ考えを向けよう。

「どのデートも配偶者候補のオーディションにする必要はない」
「人と知り合うのはいろいろな意味で楽しい」
「デートの相手はなかなか興味深い」

「いろいろな選択肢があるのは楽しい」
「今までのデートのなかで、理想的な配偶者はどんな人かがだんだんわかってきた」
「デートするたびに、どんな人が望ましいのかがはっきりする」
「人生経験はすべて、自分の考え方や願望を拡大成長させてくれる」
「このプロセスがどれほど自然なものか、今の自分には感じられる」
「どうしてあんなにややこしい考え方をしていたのかわからない」

こういう考え方の一つひとつが、あなたを前向きな明るい気持ちにしてくれる。同時に大切なことが起こっている。あなたの前には次々と興味深い女性たちが現れるだろうが、今回は重要な違いがある。その女性たちもあなたと同じように相手に興味を持ち、データを収集し、会話を楽しんで愉快に過ごそうと思っている。その女性たちは物欲しげでもなければ、必死でもない。安定していて、自信があって、人生に興味を持っている。その女性たちのなかにはあなたが探している人がいるかもしれない。あるいは似たようなもっと大勢の女性たちとの出会いにつながるかもしれない。だが、間もなくお互いにこの人だと感じる出会いがきっとあるだろう。そして、あなたは過去のガールフレンドやデートの相手がこの出会いに導いてくれたことを感謝するだろう。

事例14

姉と長い間、口をきいていません

大切なのは自分自身との仲直り

質問

「1年ほど前に姉妹ゲンカをして、それ以来一度も口をきいていません。ときどき、こちらから電話をかけるべきかなと考えますが、あのとき、どんなに腹が立ったかを思い出すと、二度とあんな思いをしたくないという気になります。姉と不仲なままでいるのは嫌ですが、あの怒りよりは今のほうがましなのです。

言い合いを始めたのは姉で、わたしの言い分を理解しようともしませんでした。前から頑固で、いつでも自分が正しいと思っている人で、いつだって事を荒立てないためにわたしが譲ってきました。でも、自分ばかりが譲歩させられるのにはうんざりで、だから電話もしないでいます」

ほとんどの人は愛されたいと思っている。感謝されたい、理解されたいと思っている。こういう願いの問題は、他人をコントロールして感謝させたり愛させたり理解させることはできない、というところにある。

愛し、感謝し、理解することは、愛され、感謝され、理解されるのと同じくらい気分がいいものだということを、わたしたちは知っている。しかもいちばん興味深いのは、愛し、感謝し、理解することは自分で完璧にコントロールできることだ。あなたは誰かを愛したいと思えば愛することができる。その能力がある。そして、相手に何かされたために動揺し、もう愛そうとも思わないと感じたとしても、その人を愛さない限り、自分自身の波動の調和を維持できないことを理解してほしいと思う。なぜなら、あなたが望んでも望まなくてもあなたの「内なる存在」はその人を愛しているからだ。

相手のことを考えていると嫌な気持ちになるから、自分が嫌な気持ちになるのは相手のせいだ、とあなたは思う。そう思うだけで腹が立つだろう。相手のせいでこんな暗い嫌な気持ちになると感じるのだから。相手が違う態度をとればあなたの気持ちはよくなる。だが、相手が変わらないから、あなたは明るい気持ちになれない。こう考えると、あなたにどう感じさせるかを決める力は相手にあるようにみえる。これでは、あなたが腹立たしく思うのも無理はない。あなたは大事なものを相手に譲り渡してしまった。あなた自身の力を開く鍵を、だ。

何があっても、自分がどう感じるかは自分でコントロールできることを思い出せば、あなたは力を取り戻せる。力を取り戻せば、「本当の自分」との調和を回復できる。「本当の自分」との調和が回復すれば、適切な見方で相手の行動や言葉や態度を見られる。つまり、相手の行動や言葉や態度はどうでもいい。あなたについて相手がどう考えているかですら、あなたとは関係ない。

たとえつらい人間関係が子ども時代にさかのぼるものであっても、あなたが思っているよりはずっと楽に自分との調和を取り戻すことができる。時間をさかのぼってすべてを考え直したり整理したりして、解決策や癒しの道を探す必要はない。当時も今もあなたの苦痛の原因はたった一つしかない。あなた自身の今の思考から生じる波動、そしてその波動とあなたの「内なる存在」の波動との関係、つまりあなたの「内なる存在」が既にそうなっているあなたとの関係がそれだ。**あなたは愛する者であり、どんな理由であれ愛せないでいるとき、あなたは引き裂かれる。**

相手が姉妹でも、邪悪な独裁者でも、あなたを捨てた恋人でも、怒りや憎しみを感じるのは当たり前だと思うのは無理もない。だが簡単に言ってしまえば、愛と感謝以外はどんなことであれ正当化できない。あなたが自分と調和できずに支払う代償は、あまりにも大きい。**わたしたちに言わせれば、自分自身とのつながりを断ち切って流れに逆らうことは、いっさい正当化できない。**

長年かけて出来上がった憎悪のパターンを捨てさせようとすると、あなたがたはたいていかえってそのパターンにしがみつき、自分の憎悪をますます正当化しようとする。だが、そうなるのは不寛容な自分に、自分自身、居心地が悪い思いをしているからだ。言い換えれば、長い間暗い嫌な気分を感じ続け、その気持ちを相手の行動と結びつけていると、それが自分にとって大変に重大なことになって、自分が今のように感じるのは当たり前だ、当然だと考える。だが、こうした怒りはすべて、本当は明るい前向きな気持ちでいるべきだとわかっているから生じる。そして、明るい前向きな気持ちでいられないと、とてもつらい思いをする。

抵抗を捨てて、自分の考えを流れに乗る方向に向ける力を取り戻せば、相手の行動を修正したりしなくても、信じられないほどホッとして気持ちが楽になる。自分の心にこれだけの力があることがわかれば、もう誰かに愛してもらおう、感謝してもらおう、理解してもらおう、あるいはなぐさめてもらおう、世話してもらおう、助けてもらおうとは思わなくなる。そのときあなたは、しっかりと宇宙のリソースと結びつく。そして、宇宙のリソースと結びついていれば、あなたは完璧に満たされる。すると、とても興味深いことが起こる。愛と感謝の波動に結びついていると、あなたは大勢の人に愛され感謝されるようになるのだ。

そこで、今あなたがいる場所から始めてみよう。

「姉が仲直りしたければ、向こうから電話すればいい」

「いつでも仲直りを言い出すのはわたしだった。もううんざりだ」

「姉と絶交しているほうがわたしは幸せだ」

「姉といい関係を維持するのは本当に大変だ」


これが今あなたがいる場所だ。「お姉さんのような人は愛されなくて当然だ」と言う人たちが多いかもしれない。だが「これではいけない」とわたしたちが言うのは、お姉さんのためではない。本当のあなたと調和していないのは、あなた自身のためによくないからだ。わたしたちがお姉さんと話すとしたら、まったく同じことを言うだろう。「自分と調和し愛と感謝の気持ちを発見するのは、妹さんのためではない。あなた自身のためだ」と。確かにすべての人がこのことを理解して、自分自身の波動との調和を意識して取り戻せば、素晴らしい世界になるだろう。だが、ほかの誰も理解しなくても、あなたは楽しく明るい気持ちになれる。あなたの幸福はほかの誰かとは関係ないのだから。

そこで、気持ちが楽になる考え方を探してみよう。

「こうやって怒りを抱き続けているのは、わたしには前から負担だった」

「怒りを捨てられたら、きっと気分がいいだろう」

「ケンカの原因が何だったかさえ、もう思い出せない」

「きっと、どうでもいいことだったに違いない」

「姉を愛していないなら、こんなに姉のことを考えたりはしないだろう」

「姉が何を考えていても、わたしが姉を愛することはできるはずだ」

「姉がどう考えるかなんて、わたしにはどうしようもないのだから」

「けれど、自分の考えは自分でコントロールできる」

「自分の考えは自分でコントロールできると思うと、大きな解放感を覚える」

「きっと前から自分の考えを自分でコントロールしたいと思っていたのだ。だからコントロールできないと腹立たしいのだ」

「姉に責任を押しつけるのはもうやめよう」


「自分と調和して楽な気持ちになりなさい」とわたしたちが勧めるのは、それによってあなたの行動を変えさせようと思うからではない。お姉さんに電話して仲直りしなさいと勧めるつもりはない。わたしたちの願いは、あなたが自分自身と仲直りして、本当の自分と完璧に調和する考え方を選ぶ道を見つけることだ。自分自身と調和したら、行動しようという気持ちになるかもしれない。自分と調和した場所から起こす行動はきっとあなた自身のためになるが、自分と調和していないまま行動すれば、決してあなたのためにはならない。

「わたしはずっと気分がよくなった」
「わたしは姉を愛しているし、感謝している」
「あとで電話してもいいかもしれない。しないかもしれないが」
「別に、今決心しなくてもかまわない」

あなたは前向きな明るい気持ちになっている。もし気持ちが暗くなったら、考え方の方向を変えて明るい気持ちを持ち続けるようにベストを尽くしなさい。やがて、明るい気持ちになる考え方が自然にできるようになる。そのときは、幸せな気持ちで次のステップに進めるはずだ。

ときには、こうして明るい気持ちになるとすぐに、相手も早くあなたと同じ明るい気持ちになるように仕向けたくて行動を起こすことがある。だが、明るい前向きな気持ちが心にしっかりと根を下ろすまで、しばらくはその気持ちに十分ひたっているほうがいい。そうすれば「引き寄せの法則」が働いて、人との出会いや環境、出来事が自然に整っていく。あなたの唯一の仕事は、ホッとして楽な気持ちになり、「本当の自分」と、そして自分が本当に望むことと自分を調和させることだけだ。

事例15

他人を幸せにする方法

配偶者がわたしをコントロールしようとするので、窒息しそう

質問

「わたしはこの人と出会って本当に幸福でした。わたしたちはいろいろな面でよく気が合い、お互いのおかげで素晴らしい経験ができたと思います。わたしたちはなんでも一緒にしたし、一緒に暮らし、一緒に仕事をして、とてもうまくいっていました。食べ物の好みも人々についての意見もそっくりで、関心事もびっくりするほど共通しています。相性テストをしてみたら、必ず相性は完璧という結果になると思います。

だが最近、わたしはなんだか束縛されている気がし始めたんです。妻はわたしのすることすべてに介入するので、一人で出掛けようとか行動しようと考えることさえほとんどないのです。最近では、何を決めるにもいちいち妻の見方に配慮しなければならないのにうんざりしてきました。これでは自由がないと感じるのです。

今、結婚したがっている友人がいますが、気がついたらわたしは、結婚なんかしないほうがましだよと考えていました。これには自分でもびっくりしました。前には人生を分かち合う人がいるのはいいことだと思っていたのですから。でも、わたしたちはすべての時間、すべての考え、すべての思いつきを分かち合うようにはできていないのかもしれません。わたしは窒息しそうな気がします」

どんなに深くかかわった相手がいても、実はあなた自身の心に去来する考えのほうが、同じ屋根の下にいる相手や人生を分かち合う相手の何倍も、あなたの人間関係に影響を及ぼしている。だからこそ、あなたがたが相手をコントロールしようという努力をほとんどしないのを見て、わたしたちはおもしろいものだな、と思う。他人はコントロールできず、自分の思考や概念は完璧にコントロールできることを思うと、とりわけ興味深い。

人はよく、「配偶者がこんなふうに、あんなふうに変わってさえくれれば、自分はとても気分がよくなるのに」と思うが、本当はこの考え方はとても後ろ向きだ。「あなたが行動や性格のここを直してくれると、わたしはとてもうれしい」と言うのは、実は「わたしの幸福はあなたが行動を修正する意志と能力に左右される、だからわたしは無力だ」と言っているのに等しい。**多くの人たちが一緒に暮らす人や交際相手にあれほど厳しいのは、誰でも幸せになりたいと思っていて、同時に自分の幸せは自分でコントロールできないことに左右されると信じているからだ。**

新しい人間関係は、初めはわりあいにうまくいく。どちらも相手への前向きな期待が強い。それに初めは、どちらも相手を喜ばせようと不自然なくらいにがんばる。だが、自分自身の調和よりも相手を喜ばせることを優先していると、大変に困った状態になる。誰かの願望を自分の関心の中心に据えることは不可能だ。創造者として、あなたがたはそういうふうにはできていない。

あなたが相手を喜ばせようと努めていると、相手は自分の幸福の責任が自分にはなく他人にあるという歪んだ考え方をするようになる。そうなると長い間には、その人たちは力を失って不幸になる。あなたが相手を幸せにしようと努力すればするほど、その人たちはきっとますます不幸になる。自分自身の調和（これなら自分で完璧にコントロールできる）ではなく、自分ではコントロールできない他人の行動に自分の幸福を委ねることになるからだ。

だから、配偶者を関心の対象にして、彼女を大変に愛して、彼女が幸福であるかどうかが自分にとって非常に重要であると思い、それからあなたの行動によって彼女の幸福をコントロールしようとすれば、窒息しそうだと感じるのも当たり前だ。そんな不可能なことを可能にしようとすれば、とんでもない時間と関心が必要になる。

さらにたいていの場合、あなたが環境をコントロールして相手にいい経験をさせようとすると、相手はますますあなたの行動に依存するようになり、やがてはさらに要求がましくなる。あなたがたは本質的に独立した存在だから、依存すればするほど不幸になる。相手を幸福にしようと思ったのに逆に不幸にしてしまうなんて、おかしいとは思わないか？

あなたが相手の幸福に影響を及ぼす唯一の方法は、あなた自身が本当に幸福であることだ。そして本当に幸福になる唯一の方法は、あなたと「願望によって拡大したあなた」の波動を一致させることだ。ここでこの処方箋を配偶者を幸福にしたいというあなたの課題に応用してみよう。

シナリオ1

・あなたは配偶者が幸福であることを望んでいる
・あなたは配偶者を観察して、彼女が幸福であることを知る
・あなたの願望とあなたの観察は一致する。したがってあなた自身が調和し、あなたは幸福だと感じる

シナリオ2

・あなたは配偶者が幸福であることを望んでいる
・あなたは配偶者を観察して、どういうわけか彼女が幸福でないことを知る
・あなたの願望とあなたの観察は一致しない。したがってあなた自身が調和していないので、あなたは幸福だと感じない

シナリオ3

・あなたは配偶者が幸福であることを望んでいる
・あなたは配偶者を観察して、どういうわけか彼女が幸福でないことを知る
・あなたは思いつく限りのことをして、彼女を幸福にしようとする
・彼女は自分自身の不調和から目をそらし、一時的に気持ちが明るくなる
・彼女の気持ちが明るくなったのであなたは喜び、こうしてあなたは彼女の気持ちを明るくする責任を担ってしまう
・彼女の気持ちはあなたの行動に左右されるようになる
・彼女は徐々に自立心を失い、それによってますます不幸になる
・そこであなたは彼女を幸福にしようとして、前より努力する。だが、彼女はますます不幸になる。なぜなら、あなたは自分が相手を幸福にしなければならない、それどころか幸福にできるという間違った前提に立って行動しているからだ

シナリオ4

・あなたは配偶者が幸福であることを望んでいる
・あなたは配偶者を観察して、どういうわけか彼女が幸福でないことを知る

・あなたは自分の心のパワーを使って、今彼女がどう感じているかは無視し、自分が幸福だと感じ続けられることに関心を集中する
・彼女はあなたがもっと自分に関心を払い、自分を幸福にする努力をするべきだと考える
・あなたのいちばん大きな願望は自分が幸福であることなので、自己中心的に彼女の不幸を無視して、自分だけ幸福でいる
・あなたは幸福なので（あなたは自分が幸福になることには熟練している）、自分自身のもっと広い視点との調和を維持している
・あなたはより大きなリソースと調和しているから、何をしてもタイミングがいいし、明晰だし、元気がいい。あなたは最高の気分でいる
・より大きなリソースと調和しているので、あなたは強い幸福の波動を出している。あなたの配偶者も明るい前向きな気持ちになりたいと思い、あなたが前向きな明るい波動を出しているので、その波動に影響されて彼女も自分自身と調和する。言い換えれば、幸福のリソースとつながりを持ち続けたいというあなたの自己中心的な願望のおかげで、あなたは配偶者の気持ちを引き上げ、願望を実現させることができる
・しかし、いちばん大切なのはここだ。あなたがどれほど調和を達成しても、またあなたが出す幸福の波動がどれほど強くても、その波動の信号に自分を調和させるのは配偶者

の仕事だ。あなたがその仕事を代わってやることはできない

そこで、要するにこういうことになる。**あなたが人を愛するなら、相手が自分自身と調和できるように励まさなければいけない。幸福になるには、自分自身と調和するしかないのだから。**もちろん、周りの人たちにはできるだけ愛情深く親切でいるべきだが、それはあなたの行動でその人たちの欠落を補ってやるためではない。そうではなくて「本当のあなた」と調和していれば、愛情深く親切でいられるのだ。

覚えておくべき最も大切なことは、こういうことだ。前向きな明るい気持ちでいたいと望み、自分の思考をそちらへ方向づける練習をするのはとても簡単なことだ。だが、他人の行動や感情の状態やその人自身の調和に影響を及ぼそうとすると、非常にややこしいことになる。**自分の波動のバランスをとる努力をして、あとは「引き寄せの法則」に任せなさい。**

そこで、あなたが今いる場所から流れに乗る考え方を探してみよう。

「わたしは窒息しそうだ」

「自分がすることとすべてについて、妻は何を望むだろうと考えるのにはうんざりした」

「彼女がほかのことに関心を向けて、わたしのことは放っておいてくれればいいと思う」

これが今のあなたの状態だ。次に妻を変えるのではなく、自分自身の考え方を変えて気持ちを楽にする方法を探してみる。

「妻が何を望み何を考えようと、わたしは自分が考えたいように考えればいい」
「考えるすべてについて、妻の反応に配慮する必要はない」
「自分の感じ方を決めるいちばん大きな要素は、自分自身の考え方だ」
「わたしは自由に考えられる」

こういう考え方は確実に流れに乗っている。あなたの気持ちは前より明るくなる。

「妻は本当にわたしをコントロールしたがっているわけではない」
「わたしたちの暮らし方は自然に出来上がってきた」
「ほとんどのことで妻と意見が対立しているわけではない」
「わたしたちは多くの面でとても相性がいい」

「彼女はわたしの考え方を支配しようとかコントロールしようとしたことはない」
「わたしが窒息しそうだと感じるのは、何よりもわたし自身の考え方が混乱しているせいだ」
「その気になれば、自分の考え方を整理することができる」
「わたしは自分の考え方をコントロールできる」
「わたしが関心を向けることはいくらでもある」
「わたしは自由に自分の関心事を追求できる」

こうして流れに乗る方向に向けば、明るい前向きな気持ちになる考え方は容易に見つかる。

「すべてをいっぺんに整理する必要はない」
「わたしたちの関係はほとんどの面で非常に前向きだ」
「わたしは別に閉じ込められているわけではない」
「さあ、窒息しそうな気持ちは消えた」
「またそんな気分が戻ってきたとしても、理由はわかっているし、対処方法もわかっている」

事例16　無気力よりは怒りのほうが「前向き」

離婚することになり、途方に暮れています

質問

「結婚して10年になりますが、先月、夫が離婚したいと言い出しました。『ずっと前から別れたいと考えていた、もうこれ以上我慢してもしかたがないだろう』と。わたしだって二人が完璧な夫婦だとは思っていませんでしたが、でも夫が離婚したいと思うほど不幸だったなんてまったく気づきませんでした。

夫はその週のうちに出て行きました。なんとか考え直してもらおうとしましたが、夫は固く決意してから言い出したようで、もう戻ってくるとは思えません。わたしも自分の人生を生きていかなければと思うのですが、あまりにもたくさんのことが夫と結びついています。共通の友人に会うのもなんとなく嫌ですし、好きなレストランにも行けず、テレビを見ていても、前には一緒に楽しんだのにとつらくなります。どうやって生きていけばいいのか、途方に暮れています」

わたしたちがこれから言うのは、あなたのような立場の人は聞く用意ができていないし、聞きたくもないことだ。だが、きちんと聞くことができれば、今のつらい気持ちから早く立ち直れるはずだ。

あなたの悲しみは、あなた自身のなかの波動のぶつかりあいの結果だ。そして、あなたはその波動を整えることができる。

悲しみに暮れている人はたいてい言う。「もちろん、わたしは悲しい。こんな目にあったのだから」確かにあなたの悲しみは夫が出て行ったことと関係があるだろう。しかし、夫があなたの人生で大切な人だったとしても、今は夫の行動に対する反応よりも、もっともっと大きなことが起こっている。

あなたは生まれてこのかた（いや、誕生前から）重要な人間関係に関する「波動の預託口座」を創造し続けている。その波動の創造は詳細で、力強くて、リアルだ。今、夫の行動に（あるいは夫との関係の喪失に）焦点を定めているとき、あなたはきわめて強力な「流れ」に逆らって上流へ向かっている。言い換えれば、**あなたの悲しみは夫が出て行ったことばかりでなく、強力な創造の流れ、集中的な波動の現実に逆らっていることから生じている。**「流れ」が強力で、その流れに逆らっていれば、あなたは非常に暗いネガティブな気持ちになる。

あなたが強い悲しみを感じているのは、夫が去ったためではない。あなた自身が非常に力強い人間関係を創造し続けていて、その生き生きとした素晴らしい人間関係はあなたの「波動の預託口座」に貯えられてあなたを待っているのに、今のような考え方をしているあなたはそれを否定している。だから、そんなにつらいのだ。わたしたちは人間関係の喪失に苦しんでいる人たちに声を大にして言いたい。あなたの人間関係、すなわちあなたが本当に欲している人間関係、あなたが人生で日々創造し発展させている人間関係、現実の人間関係が壊れていくなかであっても、あなたが修正し続けている人間関係は、依然としてあなたの「波動の預託口座」に存在している。今あなたがつらい思いをしているのは、この瞬間にあなたがその「波動の預託口座」のほうへ向かわず、逆に遠ざかっているしるしだ。言い換えれば、あなたがつらいのは夫が去ったためというよりも、夫の行動に関心を向けることによって、長い間創造し続けている「夢の」人間関係と正反対のところに焦点を置いているからなのだ。

すべてのものがどのように創造されるかを十分に認識し、「波動の預託口座」と「感情というナビゲーションシステム」(これはあなたの考え方が向かっている方向を教えてくれる)を理解すれば、あなたはもう他人の行動に縛られて身動きできなくなったりしない。

誰かがうちを出て行くとき、出て行くのは一人の人間にすぎない、ということを理解しなさい。あなたの夢の終わりではないし、あなたの創造の終わりでも、人生の終わりでもない。一つの経験にすぎず、その経験を通じてあなたが何を望み、何を望まないかがさらに明確になる。それはあなたがもっと喜ばしい「波動の預託口座」を創造するチャンスでもある。

あなたがたがどうやって自分の現実を創造しているかを説明し、「あなたはなりたい自分になれるし、したいことができるし、欲しいものを手に入れられる」と言うと、あなたのような立場の人はよくこう聞き返す。「それなら夫は戻ってくるのですか？　だってわたしは本当に夫に戻ってきてほしいと思っているんです」もちろん、あなたの「波動の預託口座」にある望ましい人生とあなた自身の調和が回復したら、夫との関係があなたの願望実現への最も抵抗の少ない道筋になるかもしれない。実際にそうなることも多い。しかし気づいてほしいのだが、今のあなたとあなたの幸福にとって夫がどれほど大切に思われても、実はあなたの幸福にとっては夫個人はどうでもいいのだ。

唯一大事なのはあなたが自分自身の「波動の預託口座」に自分を同調させること、それだけだ。それができれば、宇宙は必ず完璧な相手を送ってくれる。言い換えれば、あなたが取り組むべき相手はあなたと「願望によって拡大したあなた」の関係で、そこが調和すれば、あとのことはすべて自然にうまくいく。

夫が出て行ったために、あなたは流れに逆らう方向へ焦点を置いた。だがあなたには、流れに逆らう考え方が浮かんでも、一つずつ流れに乗るほうへ方向転換させる力がある。今どれほどつらくても、あなたにはそれができる。そうすれば気持ちが明るく前向きになって、望むことはなんでもこの物質世界で現実化するだろう。

人間関係の失敗の大半は、どちらか（あるいは両方）が自分の幸福を相手の責任にしていることから起こる。ほとんどの人はパートナーに多かれ少なかれこんな意味のことを言う。「わたしは幸せになりたい。あなたがこれこれのことをしてくれれば、わたしは幸せだ。あなたがいつもわたしを幸せにしてくれることを期待している」

自分の幸福が誰かの行動に左右されると信じていたら、きっととてもつらい思いをする。なぜなら、あなたが自分自身と調和して幸せでいられるように行動することなど、誰にもできはしないから。それができるのは、流れに乗る選択ができるあなた自身だけだ。ほかの人は誰も、あなたが貯えている「波動の預託口座」のことなどわからない。誰かの行動によって幸福になりたいというあなたは、文字どおり不可能なことを要求している。

パートナーがあなたを幸福にするのは自分の責任だと信じていれば、自由がないと感じて、窒息しそうな気分になる。だから、もっと自由に呼吸できる場所を探して出て行く。だが、誰かにこんなふうに言われたら、どれほど気持ちが楽になって流れに乗っていると感じるか、考えてみてほしい。

わたしはあなたと一緒にいるのが好きだし、今あなたのそばにいて、自分がとても素晴らしい存在だと感じている。ところで言っておくけれど、わたしはいつだって自分の感じ方には自分で全責任をとれる。わたしにはなんについてでも自分の考え方の方向を決めて、「本当の自分」と調和し、明るく前向きな気持ちでいる力がある。だから、あなたは自分が好きなように自由に生きればいいし、わたしはそれでかまわない。わたしはあなたと一緒に生きて、愛し合うことが好きだ。でも、わたしの幸福はわたしの責任だ。

こういう関係なら、自由を求め喜びを求めるパートナーも生き生きとしていられる。このような理解があれば、喜ばしい永遠の人間関係のベースが築ける。二人の人間がともに生きて、愛して、どこまでも成長拡大できることを理解していれば、別れて出て行く理由はまったくない。そこにはほとんどの人々が必死で求めている自由が十分にある。

あなたが「本当の自分」と調和し、自分が創造してきた人間関係と調和していれば（あなたの「内なる存在」はその人間関係のほうへ進みなさいと呼びかけている）、夫があなたの経験のなかへ戻ってくる可能性は大いにある。だが本当は、（今のあなたはこの言葉は聞きたくないだろうが）夫が戻るかどうかはどうでもいい。あなたが波動を整えて常に流れに乗れるようになれば、夢に描く人間関係の可能性が開ける。そのときには、あなたはすぐに気づくだろうし、相手が具体的にどんな人物であるかはどうでもいいはずだ。すべてはあなたが生涯をかけて明らかにしてきた願望とぴったり一致しているはずだから。人間関係に失敗するたびに、あなたの「波動の預託口座」は大きくなった。そして、あなたが引き出すのを待っている。問題は一つだけだ。**あなたにはその用意があるだろうか?**

そこで、あなたが今いる場所から始めて(ほかに選択肢はないから)、少しずつ明るい前向きな気持ちになるほうへ思考を方向転換させよう。

「これからどうすればいいのか、まったくわからない」
「ベッドから出るのも嫌だ」
「家族や友だちにも会いたくない」
「とにかく一人で放っておいてほしい」

こんな無力でなげやりな気持ちになる思考は、明らかに流れに逆らっているが、最初はこれで全然かまわない。こんなふうに気持ちをはっきりさせると、今の波動を拡大することになる。それがどうして役立つかといえば、今の波動を知っていると、気持ちが明るく前向きになる考え方をしようと努力したときに、波動の変化を敏感に感じ取れるのだ。

「わたしは人生の大きな部分を夫との人間関係に捧げてきたのに」
「わたしたちは一生添い遂げる約束をしたとばかり思っていた」
「わたしのほうはちゃんと約束を守ってきた」
「夫がこんなことをするとは夢にも思わなかった」
「わたしがこんな目にあうなんて不当だ」

これはさっきより少しましだ。まだ無力感がつきまとうが、ある意味では立ち向かう気力を奮い起こしたので、少し前向きな気持ちになっている。なんでも流れに乗る方向なら無力感よりましだ、ということに気づくことが重要だ。あなたの気持ちが無力感から怒りへ変わったのを見る人は、怒りには気をつけなさいと注意するかもしれないが、その人たちにはあなたの波動がどれくらい改善したのかわからない。外からはあなたの無力感がわからないから、怒りはきっと流れに逆らうように見えるだろう。

だがこれはあなたの「流れ」で、どの考え方で気持ちが楽になり、どれがそうでないかはあなただけが知っている。あなたは数日あるいは数週間も怒りや復讐心を抱くかもしれないが、実はそんな必要はない。自分がどう感じるかについてはたった今選択できると気づけば、怒りや復讐心という（相対的に）不快な場所にとどまらなければならない理由はない。

ここで覚えておくと役に立つことがある。無力感という場所に比べれば、怒りや復讐心のほうが心地よい(流れに乗っている)が、欲求不満という場所に比べると怒りという感情はあまり心地よくない(流れに逆らっている)。あなたは今よりも気持ちが楽になる心地よい思考や感情を探す努力をするべきだ。だから、無力感を怒りに変えるのは、流れに乗る方向としては十分に理にかなっているかもしれない。

「わたしがこんな目にあうなんて不当だ」
「わたしには一緒にいたいと思ってくれるパートナーがふさわしい」
「わたしは一緒にいたくないという人にしがみつく気はない」
「わたしは約束を守れない人に人生を委ねる気はない」
「人生は短いのに、あんな人のために無駄にするのはもったいない」

人間関係については大勢の学者やカウンセラーが取り上げ、どんな姿勢や行動が適切なのかを明らかにしようとして何千冊もの本を出している。だがその大半は、なんにせよ唯一の正しい姿勢や正しい見方などなく、それにはきわめて重要な二つの理由がある、とい

うことを理解していない点で間違っている。その理由とは、

①今いる場所からすべての考え方にアクセスできるわけではない

②ある考え方が適切かどうかは、今いる場所がどこかによって決まる

言い換えれば、今のあなたにとってどんな考え方が適切かは、あなた以外の誰にもわからない。だがあなたは知っている。あなたの「感情というナビゲーションシステム」が教えてくれる。

さて、あなたは怒りという少し明るい気持ちを発見したから、この調子でさらに明るい前向きな気持ちになる考え方を探そう。

「ある意味ではすべてが終わってせいせいしている」
「少なくともわたしたちは怒鳴りあったりはしなかった」
「すべてが明るみに出た今、わたしは不思議にホッとした気分になっている」
「今すべてを整理して理解する必要はない」
「とても疲れてしまった」

あなたがホッとして楽な気持ちになったことに目を向けよう。あなたは起こったことについては一種のあきらめに達し、現実を受け入れた。だがここで大切なのは、「追い詰められた」気持ちが薄らいだのに気づくことだ。こうして抵抗が薄れれば、あなたはじたばたせずに「流れ」に運んでもらって、下流に向かえる。

「物事はなるようになるものだ」
「わたしはいつだって生き延びてきた」
「いつかは、バランスを取り戻すことができるだろう」

あなたのなかで少しずつ希望が芽生える。ここからあとは、本当に楽に流れに乗っていける。努力して希望を取り戻すことができれば、あとは夢の力と「本当の自分」が前へ前へと引っ張ってくれる。あなたは少しだけ気持ちを前向きに明るくしようと努力しただけで、とても大きなことを達成したのだ。

多くの面で人生に影響する大きな変化を経験している場合、いったんは振り捨てても、また流れに逆らう考え方に戻ってしまうこともあるだろう。友だちや家族に状況を説明しているうちに、また怒りやときには鬱々《うつ》とした気分に落ち込むかもしれない。だが、もっと前向きで明るい気持ちになろうと努力した経験があれば、また努力できることがわかる。そして、努力を続けているうちに自信がつく。言い訳いっぱいの身の上話をする必要もなくなり、自分が欲しいと思う（欲しいものが何かは、人生経験が教えてくれる）すべてがある下流へ流れに乗って進んでいけるだろう。

事例17

子どもたちがわたしをバカにします

子どもを創造者として認める

質問

「わたしはシングルペアレントで、三人のティーンエイジャーの娘を育てていますが、娘たちのわたしに対する態度が大変悪いのです。いつからこんなふうになったのかはっきりしませんが、どの娘もわたしをバカにしています。小さいときは本当にかわいい子たちだったのに。どこの子でもそうでしょうが、ときにはケンカもしました。でもわたしが割って入れば、ケンカはやめて、わたしの言うことを聞き、言われたとおりにしてくれました。

ところが最近は全然違います。わたしの言うことを聞かないばかりか、おおっぴらにわたしをバカにして、大げさに目を丸くしてみせて笑い合っているありさまです。姉妹が結託してわたしに逆らっているようです。どうしてこうなったのか、いつからこうなったのかわかりませんが、とても不愉快です。わたしはいつから娘たちをコントロールできなくなったのでしょうか？」

現在のあなたがたの文化では、家族の力学は実にさまざまだが、見ていると多くの親が「宇宙の力」に逆行する基本的な信念を持ち、それが家族の混乱や不和の大きな原因になっている。「わたしはいつから娘たちをコントロールできなくなったのか？」というあなたの最後の言葉は、まさにその信念を示している。

もちろん、ある程度までは他人の行動をコントロールできるが（特に相手がこの世界に生まれ出たばかりの幼い子どもで、いろいろな面で人に依存していれば）、コントロールするとかコントロールされるという考え方は、あなたがたがこの時空の現実に生まれ出る決断をしたときに意図していたこととはまったく違う。あなたがたはそのとき、今より広く見通すことができて、すべては波動として引き寄せられることを知っていた。欲しいものを創造するためには、自分の関心をその対象に向けて、それが物質世界で現実化するまで関心を持ち続ければいい、それが当然だとわかっていた。コントロールだの、操作だの、正当化だの、苦労だのは必要ではなく、ただ素直に純粋な関心を願望の対象に向ければいい。**誰もあなたをコントロールしようとせず、あなたも誰かをコントロールしようとしなければ、人生はどんなに自由で素晴らしいものになることか！**

あなたがたはこの環境で生き延びるだけでなく、楽しく生きていくための基本的な直観を身につけて生まれてきた。あなたがたは力強い創造者としてやってきた。そして例外なく、さまざまな可能性を探求することで自分が何を望むかについて独自の結論を引き出し、そして自分自身の現実を、調和のとれた関心を注ぐという力を通じて創造しようという意図を抱いていた。だから、他人が踏み込んできて、あなたが何を創造し、望み、考え、行動すべきかを指図する権威は自分にあると主張すれば、あなたは強い違和感を感じる。それは一種の反抗心で、あなたの思考が流れに逆らう方向を向いたことを示唆している。

あなたが「宇宙の法則」を理解し、独立した創造者という子どもたちの本質を理解すれば、子どもたちの創造を邪魔せずに愛情深く導き、子どもたちにもそれがきちんと受け入れられるはずだ。子どもたちもあなた自身と同じように自分の人生経験を創造するために生まれてきたことにあなたが気づけば、誰かが邪魔をしようとしたとき、子どもたちがどうして反抗するのかも理解できるだろう。ときにはその感情は、枕を顔に押し付けられて息ができないともがいているような激しさになる。

極端な状況にある一部の親は、子どもが反抗すればするほど、なおさら厳しくコントロールすべきだと考える。また、親としての支配方法を教える教師に、「最後通牒をつきつけて子どもがあきらめて全面的に従うまで引き下がるな（これは野生馬を「飼いならす」ように子どもたちの精神をへし折って飼いならし、親の要求どおりにさせることを意味する）」と、そそのかされる親もいる。確かに子どもたちをこうして飼いならせば、しばらくは穏やかな落ち着いた家庭になるだろうが、相手が誰でもその精神をへし折ることは、わたしたちは勧めない。

「親業」というのは大変に大きな問題で、人々は長い間適切な取り組みを探して苦労してきた。誰にとっても、親子関係ほど人生経験に強い影響力を持つ人間関係はない。ごく幼いころに人は最初の波動を設定し、たいていは残る生涯を通して墓場までその波動を持っていくものだからだ。

あなたがたの文化や環境にとって、これは新しい問題ではないし、あなたがたが（あなたが親であっても、子どもであっても、あるいはその両方でも）波動の問題として理解して、行動を通じてではなく思考を通じて取り組むまでは、調和に達することはないだろう。親子関係でいちばん多い間違いは、どんな理由にせよ、困った親が言葉と行動を通じて子どもを思いどおりに動かそうとすることだ。言い換えれば、そのような親は自分自身がもっと広い視野のリソースと調和しておらず、リソースから切り離された状態のまま、子どもとかかわろうとする。これではいい結果は生まれない。

親と子の困った行動を説明するシナリオはいくらでも書ける（また書かれてきた）が、好ましくない行動の問題はすべて、次のような重要な前提が理解されれば簡単に解決する。

親に対して

・あなたは子どもにこの人生経験への道を開いてやった

・子どもの経験を創造するのはあなたではない
・子どもにはあなたよりもっと強力なリソースがあって、指針や知恵を得ることができる
・既にこの世に生まれ出た子どもが何を創造するかは、あなたの責任ではない
・子どもは欲しいものをなんでも実現するリソースを自分自身のなかに持っている
・子どもという存在は純粋で前向きなエネルギーであり、偉大な目的を持ってこの世にやってきた
・子どもはあなたが誕生させるずっと以前から活動を開始している
・子どもは強力で正確なナビゲーションシステムを自分自身のなかに持っている
・あなたが子どもにしてやれることのなかでいちばん価値があるのは、子ども自身がソースエネルギーとのつながりを維持できるように手助けすることだ
・あなた自身がソースエネルギーとつながっていなければ、子どもがソースエネルギーとつながれるように助けることはできない
・子どもをコントロールするのはあなたの仕事ではない
・あなたが子どもを相手に経験するすべての争いや暗い気持ちや不和、口論、危機は、あなたがソースエネルギーとつながっていないときに起こる
・あなたの波動が整っていてソースエネルギーとつながっていることのほうが、子どもと

の関係よりも重要だ。あなたがコントロールしなければならないのは、そちらのほうである
・子どもに腹が立つときには、あなたは「本当の自分」と調和していない。あなたが感じる不快感はあなた自身のせいである

子どもたちに

・親はあなたに、この時空の現実への素晴らしい道を開いてくれた
・親は確かにあなたにとってのベストを望んでいるが、しかしそれがなんなのかはわかっていない
・あなたは人に指図されるためにこの世に生まれたのではない
・あなたは自分自身の経験の創造者だ
・あなたはソースエネルギーの延長で、偉大な目的を持ってこの世に生まれ出た
・あなたが自分らしい道を歩いているかどうかは、そのときの気持ちでわかる
・しかし親はあなたより長く生きているので、自分の知恵をあなたのために役立たせようとする
・親が学んできたことの多くは、あなたにとっても貴重だろう

・親のほうが長く生きているから、「もっと大きな視野」の感覚はたぶんあなたより鈍化しているだろう。
・あなたがソースエネルギーとつながっていれば、何を考えても何をしても、それが適切かどうかがわかる
・親はきっとなんとかしてコントロールしようとするだろうが、あなたは戦う必要はない。あなたをコントロールするのはあなた自身だけだから。あなたは広い意図に合致した思考を送り出すことで、自分の人生と現実をコントロールすればいい
・親に腹が立つときには、あなたは「本当の自分」と調和していない。あなたが感じる不快感はあなた自身のせいである

人はよくお互いの行動に対する細かい評価や行動の正否を気にして泥沼にはまるが、それでは本当の解決策は見つからない。「親業」の最善のメソッドを発見するために委員会が作られ、研究が行われ、この問題に関する見解はそれこそ浜の真砂のように数え切れない。コントロールは少ないほうがいい、いや多いほうがいい、やっぱり少ないほうがいい、いやいやっぱりコントロールは多いほうがいいとメソッドは揺れ動くが、素晴らしい親子関係と建設的な「親業」の鍵は、常にあなたがた自身のなかにある。

子どもについて何かを考えるとき、自分はその考えをどう感じるかに関心を向ければ、「親業」についての——その他すべてのことも同じだが——完璧な指針になる。
そこで、あなたが今いる場所から始めよう。

「わたしは子どもをコントロールしなければいけない」
「わたしは子どもをコントロールできない」
「うちの子どもたちはコントロール不可能だ」
「コントロールできない子どもたちは、きっとろくな人生を送れないだろう」
「なんとかして子どもをコントロールする方法を見つけなければならない」

こんなふうに考えていると、あなたは暗いネガティブな気持ちになる（流れに逆らっている）。親としてのあなたの役割について、あなたの「内なる存在」はまったく違う考え方をしているからだ。

「子どもをコントロールできなければ、学校でダメな親だと思われるだろう」

この考えも暗い気分になる。あなたは子どもをコントロールできないが、学校はあなたをコントロールしようとしている。どちらも子どもについてのあなたのもっと広い意図と一致しない。

「子どもたちはわたしをバカにしている」
「わたしをバカにしている子どもたちは、ほかの大人も尊敬しないだろうし、それでは子どもたちの人生はろくなことにはならない」

あなたは子どもたちが尊敬してくれないから嫌な思いをすると考えているが、実は嫌な思いの本当の原因は、あなた自身が自分の「内なる存在」と一致していないことにある。言い換えれば、この瞬間のあなたの考えは、それに関するあなたの「内なる存在」の考えと一致していない。そういうとき、ネガティブな自分を正当化しようとするのは、ごく普通のことだ。あなたは深いレベルでは、明るい前向きな気持ちでいるべきだと知っている。だから親を尊敬しない子どもたちを自分がなんとかしなければ、子どもたちはろくな人生を送れないだろうと、自分の立場を説明しようとする。だが、あなたの「内なる存在」はその説明にも同意していない。

そこで、さまざまなテクニックとその結果を比較して、時の始まりから続いている「親業」のジレンマを明らかにしようと努めるよりも、自分がコントロールできる唯一のことに力を注ぎ、すべてをシンプルな視野に置くほうがいいと、わたしたちは勧めたい。自分がコントロールできる唯一のこととは、思考、波動、それにあなた自身の「存在」のなかにあるエネルギーの調和だ。

「もっと広い視野」との調和を感じつつ、この問題を考えてみよう。前より少しでも気持ちが明るく前向きになるような、流れに乗る考え方を探す努力をしよう。そして親の責任について、あなた自身について、子どもたちについて、あなたの「内なる存在」、あなたの「源《ソース》」が何を考えているかがわかるまで、その努力を続けよう。

「娘たちが人をバカにしたように、大げさに目を丸くするのを見るとムカムカする」

「しかも、わたしの面前でそういう態度をとり、わたしがどういう思いをするか気にもしていない」

これが今の状態で、あなたはそれについて暗いネガティブな気持ちになっている。さて、子どもたちに態度を変えろと命じるのではなく、あなた自身が流れに乗る考え方を探してみよう。自分の考え方や気持ちはコントロールできるが、(あなたも経験から知っているように)子どもたちの行動はコントロールできないからだ。

「子どもたちは特にわたしをバカにしているわけではない。どんな大人に対してもそうなのだ」

これもあまり気持ちは明るくならない。大人をバカにする子どもたちの将来が心配だからだ。

なぜ、考え方によって気持ちが明るくなったり暗くなったりするかをこれ以上説明しなくてもしかたがないだろう。それではなかなか前へ進めないし、あなたがほかの不快な方向に迷い込む可能性もある。**とにかく、気持ちが前向きに明るくなる考え方を選択すること。**

ここで、流れに逆らってカヌーを漕ごうとしているあなたに、オールを必死に握り締めているのとオールを手放して流れに乗ることの違いを思い出してもらおう。子どもたちをコントロールしようとするのをやめることだ。そして、気持ちが明るく前向きになるかどうか感じてみよう。

「わたしは考えつく限りのことをしてきた」
「手に入る限りの本も読んだ」
「朝目覚めてから夜眠りにつくまで、子どもたちのことが頭から離れない」
「もうどうしていいかわからない」
「お手上げだ」

ここで、自分がどう感じているかに目を向けよう。あきらめてホッとした気持ちを、オールを手放した安堵感を身体で感じるのだ。ホッとして気持ちが楽になることのうれしさを覚えておこう。これはあなたの抵抗が薄れたことを意味している。娘さんたちに感じていた不快感はすべて、あなたが子どもたちとの関係や子どもたちの輝かしい人生について具体的な願望を「波動の預託口座」に貯えることにつながった。そしてオールを手放したあなたは、その願望に向かって進み出している。これであなたはさらに明るい前向きな気持ちになる考え方ができるはずだ。

「今すぐにすべてを解決しなければならないわけではない」
「娘たちの人生がどうなるかを考えるのは、わたしの仕事ではないかもしれない」

「一日の時間は限られているのだから、10代の子どもたちの複雑な生活をいちいち考えている暇はない」
「どうもわたしは子どもたちのことを考えすぎるらしい」
「考えることはほかにもあるのに」
「子どもたちは大切だが、わたしにはわたしの人生がある」
「子どもたちのことはひとまず置いておこう、と考えるとホッとする」
「子どもたちだってそのほうがうれしいだろう」

あなたは前よりずっと軽やかな気持ちになっている。今の波動なら、ついこの間までの暗いネガティブな気持ちが少々不思議だとさえ思うかもしれない。あなたの気持ちが軽くなったことを娘たちも喜ぶだろうと考えると、なんだか笑いたくなるだろう。

「わたしが年中口うるさく言うのをやめたら、子どもたちはどうしていいかわからないのではないかしら！」
「大げさに目を丸くするのではなく、本当にビックリする子どもたちの顔を見たらきっと愉快だろう」

「わたしが口出しをやめても、これ以上悪い結果にはならないかもしれない。今までの口出しは少しもいい結果につながっていないのだから」

「自分自身の『内なる存在』の愛情に満ちた目で娘たちを見よう。そう思うと楽しくなる」

「こういう素晴らしい気持ちはとても懐かしい」

「以前は子どもたちの一人ひとりが完璧だと思い、将来を楽しみにしていたのを思い出す」

「本当にあのころの気持ちに戻りたい」

「何時かしら……そろそろ子どもたちが帰ってくるわ」

「子どもたちが帰ってくるのがうれしい」

「これから、きっと楽しいだろう」


この短い実践で10代の子どもたちとの間の問題がすべて解決されるとは言わないが、あなたは自分の「源《ソース》」との調和を果たした。不愉快な状況にぶつかっても、ホッとして気持ちが楽になる考え方を探すという決心さえ忘れなければ、子どもたちとの関係はきっと変化するだろう。

子どもたちが自分自身の現実を創造することを「許容・可能に」するだけでなく、それを促そうというあなたの気持ちが子どもたちに伝われば、ほとんどの反抗はなくなるだろう。子どもたちの顔に押し付けられていた枕がはずれるようなものだから、激しい抵抗はすぐにやむ。そしてあなたがた全員がそれぞれのカヌーに戻り、素晴らしい人生経験という楽しい旅を続けられるだろう。

事例18合意が必要なのは「内なる存在」とのみ

わたしの創造的なアイデアが盗作されているようです

質問

「わたしは2年前からフリーのライターをしている。いろいろな出版物に文章を載せており、名前もよく知られてきた。今ではライターとして家族を養えるようになり、仕事の依頼も次々と入ってくる。

最近、友人や仲間から、明らかにわたしの文章を流用したと思えるもののコピーが送られてきた。わたしの文章を下敷きにしたことをごまかすために、そこここで言葉遣いは変えてあるが、言葉を少々いじっただけでオリジナリティがないことは間違いない。

まず、自分が執筆にどれほどの時間と努力を費やしたかを考えると非常に不愉快だ。第二にこれは明らかに盗作で、どうしてこんなことが平気でできるのか理解に苦しむ。わたしなら他人の作品を探し回って、それをコピーして利用しようとは思わない。そんな人間にはプライドというものがあるのだろうか？

しかし、いちばん気になるのは、わたしが考え抜いたアイデアを彼らが盗んで、それを有効性に欠ける概念と混ぜ合わせていることで、そのために概念が明確になるどころか、ろくでもない混乱を引き起こしている。どうして彼らは自分なりの仕事をしようとはしないのか？」

あなたは今まで生きてきたなかでデータを集めているから、あなたなりの世界観を形成しているのが当然だし、またこれも当たり前ながら、自分の世界観が正しいと信じている。そして地球という星に住むほかの人間の行動を見て、自分の世界観と比較し、「自分なら決してあんなことはしない！」という結論に至ることが多いのも理にかなっている。さらにあなたのなかには、他人の行動をコントロールして、そういう不適切なことを防ぐ必要があるという気持ちが起こってくるだろう。

人々はさまざまな人生経験をするなかで、何が人間として「正しい」行動で、何が「正しい」イデオロギーかを探し求め、そのために言葉やあらゆる種類の武器を使った戦いが何世紀も続いてきた。しかしいちばん最近の戦いを経たあなたがたも、最初の戦いをした祖先に比べて少しも目的に近づいてはいない。唯一の正しい行動、正しい考え方、正しい生き方などというものはないからだ。

人はよく正しい生き方を発見し、その生き方にほかのすべての人を従わせること（生き方を強制すること）が人生の目的だと信じこむが、実はこの信念はあなたがたが広い視野を持っていたころに知っていたこととは正反対だし、またこの物質世界の時空という現実にやってきたときに抱いていた意図ともまったく違う。地球という星に生まれ出る前のあなたがたは、悪い考えを次から次へと組織的に叩き潰して一握りのよい考えだけを残し、宇宙を矮小化しようなどという意図は決して持っていなかった。あなたがたは永遠なる宇宙にとって拡大は不可避であることを理解していた。なによりあなたがたは、悪いものもよいものも含めた多様な考え方こそが、永遠なる拡大には必要だと知っていた。今、このことを指摘するのは、自分の見方が正しいと主張したり、同じくらい強硬に他人は間違っていると言い立てるのをやめれば、あなたがたにとって大変大きな利益になるからだ。

あなたの見方にどれほどたくさんの人が賛同しようと、またなんらかの基準に照らしてどれほど正しかろうと、他人に対立してあなたの見方を押しつけようとすると、あなたのなかで矛盾した波動が起こり、せっかくの見方もあなたの役には立たなくなる。そうなれば、あなたはたぶんほとんどの人と同じように、自分の考える善を広められないのは対立した見方をする人たちがいけないのだと非難するだろう。そのようにして戦いは続く。

自分の経験の創造者は自分で、自分の前提や意図や行動に誰も同意してくれなくても目的を実現できることを思い出せば、そのとき、そしてそのときにのみ、あなたは他人がそれぞれの選択どおりに行動するのを本当に「許容・可能に」しようという気になれる。

なんについてであれ、地球という星を共有している人々との合意など必要ないが、自分自身の「内なる存在」との合意だけは絶対に欠かせない。そして、その合意ができたとき、あなたは地球という星に住むすべての人、すべての物事にとって有益な流れを作ることができる。

あなたの世界観からしてどんなに悪意の行動に見えたとしても、他人の行動を「許容・可能に」しないでいると、本当はあなたのものである力や明晰さや喜びが失われる。

あなたは他人の行動を修正しようと試み、「正しい」「間違っている」「全然どうしようもなく間違っている」「どっちかというと間違っている」「そう間違ってもいない」「かなり間違っている」「ほかのに比べればそう間違ってもいない」「だいたい正しい」「もっと正しい」「さらに正しい」「非常に正しい」などと行動を分類して、全人生を浪費するかもしれない。

これは「わたしなら絶対にあんなことはしない」と言うのとたいして変わらない。あなたはそれがよいことだとは思えないから、そうはしないかもしれない。あなたは既に自分ともっと広い「内なる見えない存在」とのつながりに気づいていて、とるべき行動とそうではない行動をよく知っているかもしれない。だが他人については、今のその人と拡大したその人を正確に比較して見抜くことはできない。あなたは他人の行動が適切かどうかを正確に評価することはできないし、他人が何をすべきで何をすべきでないかを決めようとすれば、あなた自身が道を踏み外す。

実はあなたを動転させているのはそのことなのだ、わが友よ。あなたが動揺しているのは、誰かにアイデアを盗まれたからでも汚されたからでもない。それどころか、報酬のいい仕事を奪われたからでも、競争でインチキをされたからでもない。**盗作に関心を集中しているとき、あなたの不快感の核心にあるのは「本当のあなた」とあなたの不一致なのだ。**「あいつがあんなことさえしなければ、自分は明るい気持ちでいられたのに」こういう考え方ほど大きな罠はない。なぜなら、(どれほど強力な軍隊を持っていたとしても)他人をコントロールできないだけでなく、こういう考え方はあなたの「存在理由」そして「永遠なる者としてのあなたの性質」に逆行するからだ。

流れに乗ろうと決めると、なぜかホッとして気持ちが楽になることに気づけば、真の自由への道が見つかる。あなたの仕事は唯一、自分自身という「存在」の波動をコントロールすることで、他人をコントロールしようとすると束縛が生じるが、流れに乗ればその束縛から解放されて自由になる。

そこが理解できたときいちばんありがたいのは、誰もその知恵を知らず実践しようとしなくても、まったくかまわないことだ。誰かが知っていようと知っていまいと、あなたはこの知恵を実践できるし、そうすればあなたの世界はまさにあなたが望むとおりになる。これこそがあなたが求めるべき「コントロール」なのだ。これこそが人類が探し求めてきた「秘密《ザ・シークレット》」だ。

ここで、少しずつ気持ちが前向きに明るくなっていき、「本当の自分」との完璧な調和を回復できるような考え方の手本を示してみよう。

「わたしはライフワークに取り組み、広く知ってもらうために長い年月をかけてきた」
「誰かがわたしの作品を読み、気に入って、少しだけ言葉を変えて自分の作品だと主張するのは間違っていると思う」
「わたしならけしてそんなことはしない」
「わたしは出典や参照事項については、いつもきちんと明示するように心がけてきた」
「何かを参考にしたら、必ずそのことは明記した」
「盗作をやめてほしいと穏やかに頼んでも効果は全然ない」
「盗作者は明らかにわたしとは違った人生観を持っている」
「著作権法があって、盗作は禁じられている」
「彼らがわたしの作品から盗作していることは、簡単に証明できるだろう」
「わたしの作品を知っている人は何十万人もいて、味方になってくれるはずだ」
「どういう対策をとるか、選択権は常にわたしにある」
「相手が間違っていると思っても、誰かと対立することは決して自分のためにならない」

「わたし自身の経験からしても、リソースに不足はない」

「自分の意見だけを届かせようというつもりはない」

「世界を元気にする言葉を発する人は多ければ多いほどいい」

「わたしは人々に理解してほしいと思っているし、彼らの仕事を通じてもその目的は達成される。わたしたちはみんな仲間だ」

「誰でも今自分がいる場所から始めるのだし、わたしの作品が彼らの出発のベースになるのなら、それもいい」

「人々が人生経験を向上させていくのを見るほど、幸せな気持ちになれることはない」

「この世界を元気にしようとする人たちがほかにもたくさんいると思うと、わたしもうれしい」

「自分の願望を実現する人々には、喜んで拍手を送ろう」

「誰かが成功したからといって、その分わたしの成功が減るわけではない。それどころか、わたしの経験も力強くなる」

「わたしはこの無限の宇宙を賛美する」

「わたしも無限であることが理解できると、ワクワクして元気になれる」

「ほかのすべての人々も無限であることが理解できて、とてもうれしい」

事例19

母がアルツハイマー病と診断されました

家族の見方と患者の見方は違う

質問

「母がアルツハイマー病と診断されたので、とても心配です。母の生活がこれからどうなるのか、またわたしたちはどう介護すればいいのか、不安なのです。医師には、まだごく初期だが、かなり進行が早い病気なので、そのつもりで準備しておくようにと言われました。こんなことに準備する方法なんてまったくわかりません。母はとても頭がよくて、いつも会話や議論を楽しむ人でした。そうしたすべてを失っていく母を見ていられるか、自信がないのです」

ほかの人の経験を観察していればわかると思うが、あなたの見方と当人の見方は必ず違っている。言い換えれば、あなたはとても苦しんでいても、あなたのお母さんは頭がぼんやりしていくことにネガティブな感情を持っていないかもしれない。

頭がぼんやりしていくお母さんを見て、あなたはなんとか以前のような頭がはっきりした状態に戻す方法はないかと考えるだろう。人によっては、子どもに何かを学ばせるときのように、愛する者にゲームや刺激を与えて、もっと努力しなさいと一生懸命に励ましたりする。だが、そういう善意の人たちは、親の状態について非常に大事なことを見落としている。この病気は親がこの物質世界の経験から徐々に立ち去るために創造したいちばん抵抗の少ない道で、この世界に引きとどめようという努力は相手のためにならないということだ。

もちろん、お母さんが明晰で鋭い頭脳のまま楽しい経験をして暮らしているほうがあなたはうれしいだろうが、あなたがそういう経験をお母さんのために創造することはできない。あなたのような立場に置かれた人はたいてい、明るいバランスを維持する方法を見つけられない。いちばん大きな理由は、お母さんの状態が改善されなければ自分は明るい気持ちになれないと信じているからだ。だが、こういう状態を改善する方法はないから、普通は自分自身のバランスを維持することもできない。

「母の状態をよくしてください。そうすればわたしの気持ちも明るくなります」と、たいていの人は思うが、あなたに本当に必要なのは、お母さんの状態がどうであっても自分のバランスを維持し、「本当の自分」とのつながりを失わずにいる能力だ。「無条件の愛」とは、「まわりの状況がどんなふうでも関係なく、わたしの『源《ソース》』――それは愛だ――とのつながりを維持すること」なのだから。

今、あなたのお母さんは「本当の自分」との調和を妨げてきた思考から解放される道を発見した。そして死を通じて完璧な「つながり」を体験するだろう。だが、あなたも自分の感情が告げることを理解し、少しずつ前向きな明るい考え方を見いだすように意識して努力すれば、アルツハイマー病や死の経験がなくても完璧な「つながり」を十分に体験できる。

そこで、お母さんの経験が変わることを求めるのではなく、今あなたのいるところから始めて「本当の自分」との調和を実現しよう。


「わたしは人生がわからなくなっていく母を見ていられない」

「母はいつも優秀な人だった。こんなことが起こるなんて思ってもみなかった」

「母が苛立っているのがわかるが、実際のところはこれまで以上に苛立っているわけでもない」

「それどころか、母は以前なら怒ったようなことでも今はどうでもよくなったようだ」

「わたしの見るところ、母の怒りは今は苛立たしさに変わっているらしい」

「最近では一種の穏やかなあきらめに達したように見える」

「母は長い間の戦いの多くを放棄したようだ」

「まだ、非常にはっきりと思い出せることもある」
「確かに母は家族ほどには苦しんでいない」
「母が永遠に生き続けるとは、わたしも思っていなかった」
「母がわたしより長生きするとも思っていなかった」
「親の死の心構えをするなんて想像しにくいが、ある意味ではこの病気のおかげで心構えがしやすくなった」
「それに母も準備ができかかっているように思える」
「こんなふうに考えれば、この状況もかえってよかったのかもしれない」
「すべてはわたしたちにとっていちばんうまくいくようにできている、とだんだんわかってきた」
「ときにはバランスが崩れてわたしたちのためにならないと思うことも、実はわたしたちのためになっている」
「わたしたちはいつも祝福されていて、すべては常にうまくいくのだ、ということを思い出そう」

事例20 ビジネスでもホッとして楽になる考えを探す

うちの従業員たちがもめているようです

質問

「わたしは従業員20人ほどの小さな会社のオーナーです。事業は黒字で、着実に発展しているのですが、ときどき、これ以上大きくならないほうがいいかもしれないと思います。会社が大きくなればそれだけ必要な従業員も増えますが、従業員が増えると従業員同士のトラブルも増加するからです。自分の目が届くもっと小さな会社だったころのほうが幸福でした。従業員同士のもめごとや、お互いに抱いているらしいくだらない不満には、もううんざりです。ときには雇用主というより親か幼稚園教諭のような気がしてきます。とにかく従業員同士仲よく、きちんと仕事をして、もうトラブルを起こさないでほしいと思うのです」

事業や従業員、顧客、製品に関心を向けていると、考えたり運営したりコントロールしたりしなければならないことが山ほどあると感じる。そして製品と顧客が増えれば、それに応じて必要な従業員も増える。こうしたあれこれを考えれば、あなた自身の創造にとって最も重要な部分をつい見失いがちになる。「すべてのベースは波動だ」ということだ。

あなたの事業はあなたの行動によってではなく、あなたの考えによって創造されている。

多くの人はこれに異を唱えるだろう。そういう人たちは、目の前にあるのは物理的な努力と行動の結果だと信じている。確かにあなたがたが行動の世界に生きていることも、行動から結果が生じることも否定しない。だが、あなたが生み出す結果には行動よりも波動のほうがはるかに大きな役割を果たしていることに気づけば、波動、思考、感情をもっと重視するようになり、結果に大きな影響を及ぼす時間とエネルギーの強力なレバレッジ(てこの働き)を発見するだろう。要するにはるかに少ない時間と努力で、非常に大きな結果を出すことができるのだ。

問題に関心を集中すると、もっと広い見方とのつながりを失って、物事はたちまち泥沼化する。解決に目を向けていれば、その広い見方へのアクセスが開かれて、迅速に解決策が見つかるだけでなく、あなたにとって不可避である拡大のプロセスをしっかりと楽しむこともできる。

今、さらなる解決策が求められていなければ、未来の拡大はあり得ない。そして問題が存在しなければ、さらなる解決策が求められることもない。言い換えれば、あなたが避けたがっている問題は、実はあなたが求める拡大に必要なのだ。そこを理解すれば、あなたにもあなたの従業員にとっても楽しいリズミカルな創造が可能になる。

あなたのビジネスは、事業構造や製品とはかかわりなく、あなたの思考の波動の延長で、その創造の大部分は実際に事業が組み立てられる前に行われている。あなたは思いをめぐらし、探り、推測し、決断することを通じてビジネスを起こす。この思考のプロセスでは発展を阻害するような思考はほとんど起こらない。

物質世界に存在するすべてはまず思考であり、次に形だから、あなたは実際に事業を起こして従業員を集め、製品を生み出す前から、自分の事業をはっきりと見ることができる。そして、この波動の状態ではほとんど抵抗はなく、急速に拡大する。**ほとんどの会社の前向きな方向の大部分は、実際に事業が起こされる前に決まっている。だが多くの場合、建物ができて、従業員がそろい、生産が開始されると、この前向きな勢いが止まる。ビジネスの創業者の大半は、今度は起こってくる問題に関心を集中するからだ。たいていは解決策のほうを向き続けることができない。**

あなたが問題とよんでいるものは、実は答えを求める問いかけで、答えを求められる宇宙はどんな疑問にも答え、どんな問題にも解決策を提供できることを理解すれば――それどころか、この問いかけと答えと問題と解決が拡大プロセスそのものであることがわかれば――楽しみつつ完璧なやりかたで素晴らしい事業を展開できるだろう。

そうすれば従業員の間で起こっていることをくだらない不満だと思わず、創造のチャンスだと考えて（実際にそのとおりなのだから）、あなたが集めた人々や、考えの興味深い集合体を評価できるようになる。

ビジネス成功の鍵も個人的な幸せの鍵も同じで、たった一つしかない。あなたは自分が楽しくなる行動をせよと従業員に求めるのではなく、楽しくなる考え方を自分で見つけなければならない。従業員が実際にどう行動していようと、自分が楽しくなる方法を探すべきなのだ。

明るい前向きな気持ちでいようと決めて、いつもそんな気持ちでいられるように自分の思考を作り変えると、事業について常に拡大する願望と自分を調和させることができ、宇宙は願望の実現に必要な物理的条件をなんでも整えてくれるだろう。多様な従業員の気持ちや能力、個性に目を向け、そのなかで自分が最善だと思うものに関心を集中していれば、宇宙はさらにそれに似たものを送ってくれるだろう。あなたがこれは変える必要があると思うことに関心を集中していれば、宇宙はさらにそれに似たものを送ってくるだろう。

あなたが他人の最悪の部分に関心を集中すれば、これ以上ないほど迅速にその最悪の部分が引き出される。あなたが他人の最善の部分に関心を集中すれば、これ以上ないほど迅速にその最善の部分が引き出される。

事業主のなかには、組織の細かいことは誰かに任せて、自分はもっと大きな全体像、大きな構想に集中したいと思う人がいる。確かに大きな全体像を心に描くことは大切だ。だが、ビジネスの「細かい」部分に関心を向けるから泥沼にはまるのではない。あなたのなかの調和を乱すのは、関心の向け方だ。「問題」に気づくたびに、答えを求める問いかけだとシンプルに考えれば、答えはすぐに与えられるし、拡大プロセスを楽しむことができるだろう。言い換えれば、細かいことがあなたを泥沼に引き入れるのではなく、あなたのエネルギーが分裂するから泥沼に落ちるのだ。

あなたが自分のエネルギーを整えて、ビジネスについて発展する望みと自分とのつながりを維持していれば、任せたいと思う細かい仕事は有能な人々が現れて引き受けてくれるし、あなたはビジネスのなかで最も楽しい部分に取り組むことができるだろう。

ビジネスにしてもあなた自身にしても、拡大に終わりはない。だから、あなたが今いる場所から始めて、気持ちがホッとして楽になる、流れに乗った考え方を探そう。今のあなたは絶望したり落ち込んだりしているのではなく苛立っているだけだから、前向きで明るい順調なビジネスというあなたの願望との調和も、もっと大事な「本当の自分」との調和も、比較的容易なはずだ。

「社内の従業員同士のもめごとに対処するのは、もううんざりだ」

「従業員はとっくの昔に高校を卒業しているはずなのに、くだらない悪口を言い合ってい
て、まだ精神的には高校生のようだ」
「わたしには関心を向けなければならない、もっと大切なことがたくさんあるのに」
「わたしにとっては従業員も大切だ」
「従業員の幸せも、わたしには大切だ」
「うちでは気持ちのいい職場を実現したいといつも願ってきた」
「従業員は毎日の大半を会社で働いて過ごしている」
「従業員が快適に働きたいと願うのは理解できる」
「不愉快な状況にぶつかったら、つい反射的に反応してしまうのは当然だ」
「人生とはコントラストにぶつかりつつ探っていくことで、従業員もそれをしている」
「彼らは何を望まないかを知ることによって、望むことを知るだろう」
「彼らはわたしが思うほど、あるいはわたし自身ほど悩んでいないかもしれない」
「彼らは仕事はきちんとしている」
「彼らが幸福かどうかは、わたしの責任ではない」
「わたしが不幸だと感じるのは、ネガティブな関心の持ち方をしているからだ」
「わたしの気分を明るくするために行動を変えろ、と従業員に要求するわけにはいかない」

「うちで働いている人たちにはいい面もたくさんある」
「わたしがたくさんのいい面に目を向ければ、この不快な状況は消える」
「彼らも不快な状況を解消する方法を見つけてくれるといいと思う」
「わたしは従業員たちが繁栄するだけでなく、拡大成長する環境を提供したいと思う」
「わたしは彼らを愛している」

事例21

他人の考えはあなたの創造に影響しない

「この哲学は変だ、かかわりたくない」と夫が言います

質問

「わたしは『引き寄せの法則』について読み、完璧に理屈に合っていると思いました。それで自分が考えること、言うことに関心を払うように努力し、人生をよくするためのプロセスにも取り組んできました。ところが、夫はこういうことをまったく信じようとしません。わたしがこのプロセスを実践していると考えただけで、腹立たしいようです。『引き寄せの法則』の働きに気づけば気づくほど、夫のネガティブな言葉が心配になります。

夫にもこの法則を学んでほしいのです。一緒に取り組めば、きっとわたしたちの人生はよくなると思います。でも、夫はその気になりません。夫のネガティブな考え方が、わたしの前向きな考え方を妨げることはないでしょうか？」

ほかの人が何を考えようと、あなたの創造に対しては何の影響力もない。ただし、あなたがその考え方について「考えて」いれば別だ。あなたが夫の思考について考えると、夫の思考はあなたの思考になり、あなたの創造のバランスに影響する。

誰かと人生をともにするとき、あなたがたはすべてについてお互いの意見が一致し、創造についても相手を「引っ張り込んで一緒に」しなければならないと思いがちだ。だが、他人を「引っ張る」必要はない、ということを理解してほしい。なぜなら、創造の「流れ」には必要な「引っ張る」力がすべて備わっているから。だが、自分自身が抵抗していれば、望む場所には行き着けない。

あなたがたはときどき、他人が妨げになっていると感じるが、実は自分が何かに抵抗しているだけなのだ。例えば、あなたは別の街の新しい家に引っ越したいと強く望んでいるのに、夫は今の家がいいと言っているとする。あなたが新しい家のことだけを考えていれば、新しい家という願望に日々の考えの波動が一致する。そこに抵抗がなければ、あなたの願望が実現する状況や出来事が自然に出来上がる。

ところが、夫の反対意見について考え、引っ越したい自分の気持ちを正当化したり、夫が考慮すらしないことに不満を抱いていると、あなたの日々の思考は願望と一致しない。夫の反対について考えているために、自分の波動に抵抗を生じさせて、願望の実現に向かって進めなくなる。言い換えれば、夫の意見に関心を向けたせいで、あなた自身が願望とは反対の方向を向いてしまう。だから、夫が問題のように感じていても、実は問題はあなた自身の思考にあるのだ。

「夫が賛成してくれれば、わたしだってそんな矛盾した思考を抱かない」という人もいるだろう。もちろん、自分が見たいものを見ているほうが楽に明るい気持ちになれるし、夫が全面的に賛成してくれれば、自分の願望のほうへ目を向けるのもずっと簡単な道理だ。

だが、周りの人が協力してくれれば自分の創造はもっとうまくいく、という考え方にこそ真の罠が潜んでいる。ほとんどの場合、周りの人たちはあなたの願望の方向に関心を向けてはいない。誰にだって自己中心的な自分の関心事があり、そちらにほとんどの関心を注いでいるのだから。

自分の願望を実現するにあたって誰の同意も必要ないと気づくと、とても解放された自由な気持ちになれる。そして、他人の反対意見を自分の波動のなかに取り込むのをやめれば、あなたの影響力は格段に大きくなる。

今の家に一緒に住んでいる夫にも、ここはもっとよくしたいという部分があるはずだ。夫だってスペースが足りないと感じるたびに、「もっと広いスペースが欲しい」という願望のロケットを打ち上げる。それどころか、既に夫の「波動の預託口座」にはもっと広くていい家があると思ったほうがいい。だが、夫には夫なりの理屈があって、新しい家は経済的な負担が増えるとか、家探しには時間がかかる、落ち着くまでにも時間がかかるなどと思っている。言い換えれば、夫もあなたと同じ理由であなたと同じ多くのことを望んでいるが、その願望に「現実的な」考え方で抵抗している。したがって、あなたの願望がこの「流れ」の推進力になっているだけでなく、夫の願望も「流れ」を引き起こしている。言い換えれば、夫は自分が気づいていてもいなくても、新しい家の創造に力を貸している。

こうして二人とも「波動の預託口座」に新しくて素晴らしい住まいを創造しているのだから、夫の不安を口実に自分自身の願望に抵抗することはないし（これであなたは新しい家と完璧に波動が一致する）、新しい家はきっと実現するだろう。夫が簡単に受け入れるような心地よいやり方が見つかるはずだ。

あなたから何かを奪う力は誰も持っていない。それを理解して、願いの実現に抵抗するのをやめれば、望むものは簡単に流れ込んでくる。たぶん、やがてはあなたというお手本の力で夫も「宇宙の法則」が「変ではない」こと、それどころか強力で一貫しており、理解可能で応用できること、そして活用すればとても楽しいことを理解するだろう。

たとえ、今は夫の人生観があなたと違っていても、夫の人生もやはりうまくいくということを理解すれば、あなたにとっても大変に役立つ。夫には考えたいように考え、望むとおりに生きて、欲しいものを欲しがっていてもらえばよろしい。それでも彼があなたにとってなんらかの妨げになることはない。だが、彼を「改造」しようとすれば、あなたはきっと望まないことに関心を注ぐはめになり、望まないことがあなたの波動に入り込んで、あなたの創造を妨げるだろう。そうなったら、いずれは願望の実現を邪魔している（と思われる）彼を恨むことになる。

あなたの人生で出会う人たちすべては、友達、赤の他人、敵でさえも、あなたの「創造のプロセス」に前向きに貢献してくれる可能性がある。だが、その人たちが役に立つか妨げになるかを決めるのはあなたしかいない。なぜなら、抵抗して流れに逆らうやり方でその人たちを見るか、それとも「許容・可能に」して流れに乗るやり方でその人たちを見るかは、あなた次第だからだ。

そこで、今あなたがいる場所から始めて、少しずつ気持ちが明るく前向きになる、流れに乗った考え方を探そう。

「夫さえもっと前向きになってくれたら、わたしたちの人生はずっとよくなるのに」
「この『プロセス』はわたしには本当に役に立つのに、夫は考えてみようとさえしない」
「夫が考えてさえくれれば、きっと夫のためになるのに」
「夫が考えてさえくれれば、わたしのためにもなるのに」
「夫の行動を心配しているとき、わたしは本当は『プロセス』を実践していない」
「夫のような身近な人でも、わたしの『引き寄せの作用点』に影響を及ぼすとは限らない」

「わたしたちはすべてについて意見が対立しているわけではない」
「確かに意見が一致すれば満足だが、意見が一致しなければわたしの願いを実現できないわけではない」
「わたしは密かに望んだことが実現するという経験をしている」
「わたしの願いは誰かが協力してくれなくても実現した」
「わたしはなんでも選んだことを創造できる力強い『存在』だ」
「夫に賛成を求めるわたしは、夫を不当な場所に追い込んでいる」
「わたしが何を望んでも、夫に反対することにはならない」
「わたしたちは人生について違う見方をしているからこそ、いいチームなのだ」
「『宇宙』が協力的に応えてくれるのがわかるとうれしい」
「夫が望めば、いつかはいろいろなことで堂々と『共同創造』できるようになるだろう」
「今のところは、わたしは黙って楽しく自分が選んだことを創造している」
「この『プロセス』を夫が発見して喜ぶ日が待ち遠しい」
「わたしは夫を愛している」

事例22

わたしはこの社会では「老人」と見られています

あなたは「永遠の存在」

質問

「わたしは70代で、若いころにはできたのにもうできないことがたくさんありますが、だからといって今までと大きく違うという気はしていません。確かに見かけは変わりましたが、感じ方は大して変わっていないのです。

最近気づいたのですが、実に大勢の人たちが『年齢』や『老い』のことをあれこれ言っています。テレビに出てくるコメディアンは容赦なく『老人』の病気を茶化しますし、正直なところ、わたしはだんだん暗い気持ちになってきました。自分ではまだまだ建設的で幸せな可能性のある日々が待っていると信じていますが、年齢を思うと陰気な、それどころか鬱々とした気持ちになるのです」

あなたがたがわたしたちのような全面的な広い視野に立って自分自身を見ていないのはもちろん理解しているが、せっかくの「永遠の存在」が生命の短さを云々するのを聞くと笑いたくなる。ほとんどの人の自己認識は普通、物質世界でこの身体に宿る入り口から身体から離れる出口までに限られている。そして、長生きして身体から離れる日が近づいてきたと思うと、だんだん落ち着かない気持ちになる。身体から離れる出口が実は別の入り口にほかならないと知っていたら、落ち着かない気持ちになるどころか、永遠の冒険の楽しさを感じるだろうに。

あなたがたは「永遠の存在」であると毎日語り続けてもいいのだが、もちろん、あなたがたは自分に見えるものしか見ないだろう。そして、あなたがたの関心が集中していることの時空の現実という環境では、わたしたちを含めた見えない世界の部分は現実《リアル》ではないかのように、あなたがたが「実生活」とよぶものに鮮烈な関心が注がれている。

わたしたちが「流れに乗る／流れに逆らう」というたとえで繰り返していることを実践して、少しずつ明るい前向きな考え方をするように努力すれば、いつかは物質世界の「存在」としての波動と「もっと広い視野」の波動を調和させることができるだろう。そうなれば、あなたがたは「永遠の人格」を身につけ、物質世界への入り口と出口という境目はあいまいになり、大した意味を持たなくなる。時のなかの今という瞬間に楽しく関心を向ければ――あなたのもっと広い部分が自由にあなたのなかを流れ、今という瞬間に楽しい人生経験という宝物を探すことを「許容・可能に」すれば――永遠の存在としての性質が優勢になり、欠落感はすべて消え失せるだろう。甘美で圧倒的な今という瞬間に集中すれば、過去を懐かしく思い出したり未来の短さを感じたりする時間も関心もなくなる。永遠にはつらつと生き続ける生命である自分がわかってくるだろう。

あなたは自分がどんなに「古い」存在か想像もつかない。だが、あなたは自分が感じるように感じるのだし、それについて何かできるのはあなただけだ。しかも、年齢の問題についてのいちばんの朗報は、それを変えるために、行動を通じてできることは何もないということだ。他人に行動を変えろと要求しても、暦をもとに戻そうとしても、年齢は変えられない。だが、広い視野と調和した見方で年齢の問題を見ることはできるし、それができればすぐに明るい前向きな気持ちになれるだけでなく、この世界におけるほかの経験もすべてが喜びと驚異に満ちたものになる。

そこで、あなたが今いる場所から始めて、だんだんに明るい前向きな気持ちになる考え方を探そう。


「老人を笑いものにするコメディアンは嫌いだ」

「そういうコメディアンたちは非常に失礼だ」

「彼らは平気で人の気持ちを傷つける」

「彼らだっていつかは年をとると考えると、いい気味だと思う」

「彼らだって年をとる。その前にトラックにひかれれば別だが」

「そう思うと、やっぱりいい気味だ（愉快だ）」
「だが、本当に彼らが傷つくことを望んでいるわけではない」
「彼らに理解してほしいだけだ」
「誰かの気持ちが傷つくのは嫌だ」
「だが、人はいろいろな理由で気持ちが傷つく」
「特に理由がなくても、気持ちが傷つく人だっている」
「人の気持ちが傷つかないように世界をコントロールすることなんかできない」
「わたしの気持ちを鎮めるために、ほかの人に行動を修正してもらう必要はない」
「自分のことは自分でできる」
「わたしはほかの人たちの気持ちが傷つくのを防ぎたいのだと思う」
「でも、それぞれの人の気持ちはそれぞれの責任だ」
「コメディアンはわざと人の神経に障《さわ》るデリケートな問題を取り上げがちだ」
「そういえば波動を改善しようと努力するまでは、わたしもいろいろなことが神経に障っていた」
「もう神経質になるのはやめて、愉快なことにだけ耳を傾けよう」

事例23

娘がしょっちゅうウソをつくのですが

「内なる存在」とつながっているかがポイント

質問

「娘はわたしに面と向かって、明らかにウソとわかることを平然と言います。これほど腹が立たなければ、きっと笑いたくなるでしょう。とにかくなんでもかんでも、どうでもいいようなことでさえもウソをつきます。わたしは正直こそ最高の策と信じてきましたし、ウソをつくお手本など見せたことはありません。どうして娘はこうなっちゃったのでしょうか? とても心配です」

あなたがたは皆、自分が強力な創造者であることを理解したうえで物質世界の身体に宿ったが、生まれ出た環境では最初から服従を求められる。若いころには「本当の自分」の感覚が強いが、周りの人はそれぞれの関心や考え方や要求を押しつけてくるので、自分のエネルギーが引き裂かれると感じ始める。普通は引き裂かれたエネルギーもだんだんに統一されていくので、周りの人たちは自分たちの指導で社会化のプロセスが進んでいると満足する。だがなかには、あなたの娘さんのように特に強力な「存在」がいて、反乱を起こす。

普通こうした反乱は、最初は特に具体的な何かに向けられるわけでなく、また当の子どもたちも意識していないことが多い。彼らは他人からの影響で自分のエネルギーが引き裂かれて、ただ激しいネガティブな感情を抱く。そして、明るい前向きな気持ちになりたいのになれない人は誰でも同じだが、自分の強い不快感をそのときにかかわっている相手のせいにする。だから、ほとんどの子どもが分裂からくるネガティブな感情の大半を親にぶつけるのは当然だ。いちばんしょっちゅう、しかも大事なことで子どもに影響力を及ぼそうとするのは親だから。すべての人を喜ばせるという不可能なことを要求されていると気づいた子どもは、強い不快感を感じ、その症状としてウソをつく。

人はよく、おとなしく指導に従って言われたとおりにする従順な子どもがいい子どもだと考える。自分の意志を通す、つまりは他人の考え方に従いたがらない子どもは問題視されたり、扱いにくいと思われがちだ。普通問題が起こるのは、子どもたち自身が人生経験によっていろいろなことを「波動の預託口座」に貯えている（そちらに子どもたちは引き寄せられる）のに、関係者の誰かがそちらへ向かおうとする子どもたちを引き止めるときだ。親子の争いのほとんどは、子どもたちが自分の人生を生きること（本来そうあるべきだ）を、親が「許容・可能に」しないことが原因だ。**親のほうはたいてい、このうえなく善意で、**

子どもにとってベストだと教えられたことを望んでいるが、しかしこの物質世界に生まれ出た者は誰でもそれぞれの目的やプランを持っているのだ。

子どもたちを従わせようとして指針やルールを決め、注意深く監視していると、実は子どもたちの存在そのものの核心である原理を損なってしまう。子どもたちの選択を「許容・可能に」できないのだ。そして多くの場合、子どもたちを信頼していないぞという姿勢を示してしまう。そういう姿勢を感じ取ると、子どもたちはあなたがたを受け入れなくなる。子どもたち自身の「内なる存在」についての理解に反するからだ。言い換えれば、そのような姿勢をとる親と過ごす時間が少ないほうが、子どもたちは自分の「内なる存在」を好きになれる。

自分の経験の創造者であろうとするあなたの意志を誰かが邪魔しようとしたら、気をつけたほうがいい。うまくいくはずがないから。

子どもたちに――誰に対しても同じだが――厳しいルールを押しつけると、実はそのつもりがなくても、ウソをつかせる完璧な環境を整えることになる。ルールを守ったときには前向きな明るい反応が返ってきて、ルールを破るとネガティブな反応が返ってくるのを感じると、親の反応が最大の目的になり、どうしてその反応を引き出せたかは二の次になってしまうことが多い。つまり、子どもたちは親を喜ばせようとしてウソをつく。

自分自身の「内なる存在」とのつながりが切れた空白を埋めるには、もう一度そのつながりを作るしかない。そして「源《ソース》」とのつながりという素晴らしい経験を発見すると、子どもたちにも同じ経験をするように励ますことができる。あなたの軽やかで澄んだ心、それにいかにも幸せな様子を見る子どもたちは、あなたの経験という力強いお手本を通じて、どうすれば自分のナビゲーションシステムを活用できるかを学ぶだろう。それがわかることのほうが、あなたがたが押しつけるルールに従わせるよりもはるかに大切だ。

これは興味深い展開だ。理由はわからないが、あなたの娘さんは「源《ソース》」とつながっていないので、暗いネガティブな気持ちでいる。あなたはそういう娘さんに、自分が見たくないものを見ている。そこで、あなたも「源《ソース》」とつながらず、やはり暗いネガティブな気持ちになる。それをあなたは娘さんのせいだと非難する。娘さんは自分が暗い気持ちになるのはあなたのせいだと非難する。こうして堂々巡りになる。

あなたが娘さんについて流れに乗る考え方を意識的に探せば（今の状態ではなかなか難しいだろうが）、抵抗を捨てて「本当の自分」と調和できるから、もっと広い視野に立って娘さんを見られる。約束するが、そうなれば必ず娘さんも「つながり」を見いだすように仕向けてやれる。

あなたが「本当の自分」と調和していれば、娘さんの最善の部分だけを見るようになる。

娘さんも「本当の自分」と調和すれば、ウソをつく理由などなくなる。

自分自身のナビゲーションシステムとの一致というお手本を見せること、親が子どもにしてやれることのなかでこれ以上大きな贈り物はない。だから、あなたが常に流れに乗った調和のとれた考え方を探し続ければ、子どもたちも広い視野とのつながりを維持することを学ぶだろう。そしてこの素晴らしい贈り物は、世代から世代へと受け継がれていくはずだ。

そこで今あなたがいる場所から始めて、娘さんについて少しずつ明るい気持ちになる考え方を探そう。


「本当のことを言ったほうがいいときでも、娘はウソをつく」

「どうしてわたしにウソをつかなければならないのか、理解できない」

「たいていは、ウソをつけばかえって自分のためにならないのに」

「娘が悪い癖をつけるのを見たくはない」

「誰にでもその人なりのものの見方があるものだ」

「わたしにはわからないが、娘には娘なりの理由があるのだろう」

「娘がわたしを信じて本当のことを言ってくれればいいのに」

「わたしが常に本当の自分とつながった状態で娘に接すれば、娘もわたしをもっと信頼してくれるかもしれない」

「過去をやり直すことはできないが、これからはもっと娘に対して『許容・可能に』する姿勢を取ろう」

「ときには娘が自分をもっとよく見せようとしてウソをついているのがわかる」

「娘がウソをつくときには、『本当の自分』と調和していないこともわかる」

「娘が『本当の自分』と調和していないからと罰するのではなくて、調和できるように促してやりたい」

「娘のウソは『本当の自分とのつながりの欠如』を表している。そこをなんとかして、気持ちを楽にしてやりたいと思う」

「今わたしが心配なのは娘のウソではなくて、ウソをつく理由のほうだ」

「ウソをやめさせたいというより、娘自身の『源《ソース》』とのつながりを取り戻させてやりたい」

「娘だって以前はよく『源《ソース》』とつながっていたのに」

「幼いときの娘は、日々、わたしのインスピレーションの『源《ソース》』だった」

「今度はわたしが娘のインスピレーションを促してやる番だ」

事例24

前向きな気持ちでいれば素晴らしい昇進が訪れる

職場でいつも昇進から外されているのはなぜ？

質問

「今の会社で働き始めてから何年にもなり、たぶん会社の仕事については誰よりも詳しいと思います。それどころか、会社のことはオーナーよりもよく知っているのではないかと思うほどです！　非常に多様な仕事をこなしていて、それは自分でも楽しいのですが、ときどき、誰もやりたがらない仕事を押しつけられているのではないか、と感じます。なにしろ入社して長いので、社内の仕事ならなんでもできますから。

先週、わたしより勤続年数の少ない社員が主任に昇進しました。実は次に主任になるのはわたしだろうと予想し、その社員よりわたしのほうが適任だと思っていたのですが。どうしてわたしが昇進しなかったのか理解できません。会社を辞めたくなりました」

思いの対象はすべて、「望むこと」と「望みがかなっていないこと」のどちらかに分けられる。今のあなたは昇進という望みがかなわなかったことに焦点を合わせている。ほとんどの人は言うだろう。「もちろん、そうだ。でもわたしだって昇進を見送られるまでは、望みがかなわなかったことに焦点を合わせてはいなかった」しかし、あなたが考えていることとあなたに起こることは常に一致する。あなたが評価されていないと感じれば感じるほど、あなたはさらに評価されなくなる。人は言う。「誰かが評価してくれれば、評価されていると感じるのに」ところが理解してほしいのは、**評価を引き寄せるためには評価されていると感じなくてはならない**、ということだ。あなたの波動が「引き寄せの作用点」で、あなたは自分の思考の方向をコントロールできるのだから、波動もコントロールできる。

最初に評価されていないという気持ちが激しくなったのはいつか、経験を振り返って確かめる必要はない。それを知っても、評価されていないという波動が活性化されて、いっそう暗い気持ちになるだけだ。そうではなくて、たった今から始めて、もっと明るい前向きな考え方を探すことだ。

「あの人はそれほどのことはないのに評価されている。本当は自分のほうが高く評価されるべきなのに」社会のあらゆる人たちがたいてい、そういう不満を持つようだが、実は、不当に高い評価などあり得ない、ということを理解してほしい。**「引き寄せの法則」はあなたがたが出している波動に一貫して公正かつ強力に働いている。もしうれしくない経験をしたら、逆に自分が望むことをもっと明確にして、そこに焦点を合わせなさい。それが楽にできるようになれば、望むことが実現する。**

それに望むことが実現せず、それどころか賞をほかの人にさらわれたとしても、そんな状況でさえあなたのために役立っている。あなたの「波動の預託口座」は以前よりさらに強力かつ明確になっているからだ。そうなれば宇宙の力は以前よりもっと力強くあなたの望む方向へ流れ出す。だが、不満を抱いたままでいると、新しいもっと素晴らしい創造は下流にあるのに、流れに逆らって上流に向かってしまう。だから「望めば望むほど」、暗くネガティブな気持ちになる。

あなたがたは決して失敗するはずがないことに気づいてほしい。人生の一瞬一瞬があなたの願望を進化させ、その願望を実現する方向に宇宙の力が働いている。道をさえぎって願望の実現を阻むことができるのは、あなた自身だけだ。幸い、あなたが願望の実現を邪魔していると流れに逆らうネガティブな感情が生まれて、間違った方向を向いていると教えてくれる。

この状況に対するアプローチとして、こんなふうにしたらどうだろう。別の人の昇進に怒りを感じられたことをうれしく思うのだ。その強い感情は、もっといい環境での仕事という創造があなたのなかで非常に強力になっていることを意味しているからだ。

それからこんなこともうれしく思う……。

……自分が怒り傷ついていると気づいてよかった。これはナビゲーションシステムがうまく働いているということだ。

……この不愉快な状況で自分の願望が前よりはっきりした。これで「波動の預託口座」が前より大きく、豊かになった。

……今その気になればオールを手放し、もっと驚くべき昇進へと向かっていくことができる。

……これから限りなく昇進していける。

……自分の感情に目を向け、常にホッと気持ちが楽になる、流れに乗る考え方を探していけば、次々に素晴らしい昇進の機会が訪れるだろう。

あなたが自分の願望に焦点を合わせ、いつも「真の自分」と完璧に調和して明るい前向きな気持ちでいれば、あなたは波動の履歴書を提示することになり、どこからでもチャンスがやってくる。あなたが成功という感情を持ち続けていれば、成功する人たちが引き寄せられてくる。**失望という感情を持ち続けていれば、あなたは成功する人たちの目には入らない。すぐそばにあなたがいても、彼らが求めている成功とあなたの波動が一致しないから、その人たちにはあなたが見えない。**

近視眼的な雇用主はあなたの価値を見損なって別の人を選ぶかもしれないが、宇宙全体には見るべきものがきちんと見えているから、あなたの価値が見過ごされることはあり得ない。それどころか、あなたの価値に正確に見合った、想像し得る限りで最も素晴らしいことが待っている。

ちょっとした失望のために上流を向いて、すべての願望の実現から遠ざかってしまってはいけない。そうではなく、現状を上手に活用して、明るい前向きな気持ちになる考え方を探し、どこまでも拡大する人生の旅路にはどんな意外で素晴らしい昇進が待っているかしれないぞ、という心の準備をしておくことだ。

そこで、今あなたがいる場所から始めて、もっと流れに乗る前向きな思考を探してみよう。

「いくら勤続年数が長くても、いくら献身的に働いても、自分は無視されている」
「わたしは人間として考えられる限りがんばってきたのに、それでも昇進できなかったのだから、もう決して昇進できないだろう」
「なぜこんな不公平なことが起こるのかわからないが、それが現実だ」

こんなふうに考えたり感じたりするのも無理はないが、これは流れに逆らう無力な考え方だ。だから、もっと前向きな考え方を探そう。


「自分が主任に昇格すべきだった」

「雇用主はわたしのほうが適格だと知っているはずなのに、なぜこんな不公平な決断をしたのだろう?」

「もう辞めてやる。主任だなんていったって、わたしなしでどうやって仕事をこなすか、見ものだ」

「そうなれば、今まで誰のおかげで会社がもってきたのかよくわかるだろう」


なるほど、復讐は気分がいい! あなたはまだきわめてネガティブな状態だが、さっきまでの無力感にくらべればこのほうがましだ。さらに前向きな考え方を探そう。


「一生懸命働いているのはわたしだけではないことはわかっている」

「もっと評価され報われていいはずの人たちは大勢いる」

「会社を閉鎖に追い込んで大勢の人たちを困らせるのは、わたしの本意ではない」

「会社を辞めて自分と家族を路頭に迷わせるのは、わたしの本意ではない」
「今回の人事が気に入らないのは、わたしだけではないかもしれない」
「自分が昇進すべきだと思っているのは、わたしだけではないかもしれない」
「気を取り直して、この状況をできるだけ活用しよう」
「昇進した彼を観察して、何が決め手になったのかを考えてみよう」
「わたしには学び成長しようとする意志がある」
「ここで昇進するのが自分にとっていちばんよかったかどうかはわからない」
「この先にもっといいチャンスが待っているかもしれない」
「よく考えてみれば、自分にはまだ昇進後の責任を引き受ける準備ができていなかったかもしれない」
「しかし、この機会にいろいろと考えることができてよかった」
「おかげで元気が出てきた」
「今回のことで自分の意識も将来性も広がったと感じる」
「今回のことはそう悪くもなかった」
「それどころか、今のわたしはとても幸福だ」
「今後どんなことが起こるか、とても楽しみだ」

事例25

時間もお金もなくて両親のめんどうを見られないことに罪悪感を覚えます

楽な気持ちになると、いい解決策が流れ込む

質問

「両親とも具合が悪くて、身の回りのこともできなくなりました。わたしは何百マイルも離れて暮らし、フルタイムで働いているので、両親のめんどうを見られません。両親のかかりつけの医師は、どこか世話をしてもらえる施設を探したほうがいいと言います。両親は一生懸命に働いてきましたが、預金はありませんし、現金化できるような資産もほとんどありません。あちこち調べてみたところ、両親を入れたいと思うような施設は多額の費用がかかってわたしには無理ですし、手が届くところはあまり満足できそうもありません。それでとてもつらく悲しい思いをしています」

子どものことを心配する親に対して、わたしたちはいつも、心配したところで子どもの助けにはならないと言う。また親のことを心配する子どもに対しても、まったく同じことを言う。あなたがいくら心配しても親のためにならないどころか、その不安はあなたが本当の助けから自分を切り離していることを意味している。

愛する者の健康の悪化というような自分が望まないことに目を向けているとき、あなたは自分の「波動の預託口座」に強力な願望の波動ロケットを送っている。だから、今は気づいていないが、あなたが両親のことを思っている間に（特に両親の心配をしている年月に）、両親についての「波動の預託口座」はかなり拡大している。

だが、心配したり不安がったりしているあなたは、頑固に両親に関する願望の実現とは正反対の方向を向いているから、助けになるよさそうなアイデアは一つも浮かんではこない。しかし、不安な思いを無視して、いつも流れに乗る思考へと自分を向けることを学べば、疑問に対する回答や問題解決につながるさまざまな状況や出来事が出現するはずだ。

あなたはこの世界で病気が引き起こす危機を解決することはできないが、そんなことはあなたの仕事ではない。あなたの仕事は願望実現の方向に自分を一致させることだけだ。そして、あなたは両親に関してたくさんの願望を持っている。解決策に向かう流れに乗っているかどうかは、あなたの感情が教えてくれる。しばらくは特に状況が改善しなくても、明るい前向きな気持ちになるのは自分にとって重要な事柄で流れに乗った思考をしているということだから、そのうち必ずなんらかの成果が現れる。そして、自分が願望実現の方向と一致していることを感じ取れれば、さらに状況はよくなっていく。

あなたはせっぱつまったと感じ、明るい選択肢は何もないと思っている。そうやって考え続け、あれもこれもダメと感じていたら、気持ちはさらに暗くなる。そんな気持ちでいれば、ましな解決策はいっさい浮かばないだろう。言い換えれば、あなたのなかで問題ばかりが燃えさかっていたら、解決策は現れない。**まず、その気持ちを鎮める方法を探さなくてはいけない。**

あなたは両親の健康状態が改善すれば、あるいは親に介護費用を出す経済的余裕があれば、また近くに費用がかからないよい施設があれば、それとも自分に親を介護する人を雇う経済力があれば、気持ちが鎮まると言うかもしれない。だが、そういう状況ではないし、どれも今すぐには実現しない。そこでどうにもならない困った状況に直面すると、ほとんどの人はただ心配し続ける。だが、不安を抱き続けている場所からは、解決策にアクセスできない。

今のあなたの唯一の選択肢は、もっと明るい前向きな気持ちになる方法を見つけることだ。最初は気づかないかもしれないが、これは重要な選択肢である。というのも、気持ちが明るく前向きになると、現実は変化しなくてもあなたの波動が変化し、両親に関して明確になった願望と調和し始める。両親のために最も望むこととあなたが調和すれば、多くの扉が開き、さまざまな道がはっきりと見えてきて、どうすればいいかがわかる。

どんな状況に対しても常に有効な解決策があるが、不安だったり、非難していたり、心

配していたりすると（この部分には暗いネガティブな感情がいくらでもあてはまる）、その解決策が見えない。

だから、まず前向きな気持ちになる努力をすること。目的は実際に解決策を見いだすことではなく、ただホッとして楽な気持ちになることであるのを忘れないように。それどころか、自分のエネルギーを整える前に解決策を見いだそうと躍起になると、ほとんどの場合、流れに乗るのではなく逆らうことになる。ここでの目標は、とにかくホッとして気持ちが楽になることなのだ。

「両親のことが心配でたまらない」
「これから両親はどうなるのだろう」
「両親が自分たちでなんとかしてくれるといいのだが」
「両親はもっと将来のことを考えて経済的な計画を立てておけばよかったのに」

これらはあなたの今の気持ちだ。次に、もっと楽な気持ちになる考え方を探そう。

「今すぐに何かを決めなくてもいい」

「事態はだんだん進んでいくけれど、まだ考える時間は十分にある」

「どうにもいい解決策がないと思っても、次の瞬間にいい思いつきが浮かぶこともある」

「答えが見つかるまでは、答えなど見つかりっこないと思うものだ。しかし、答えが浮かぶと、『どうして見つかりっこないと思ったのだろう』と不思議になるのに」


もうあなたの気持ちは明るくなってきたし、こんな短い時間でも何かしらいい考えが浮かび始めているかもしれない。ただし、あまり急いで行動に飛びつかないほうがよろしい。行動に移る前に気持ちが明るくなっていればいるほど適切な行動がとれるし、前向きな成果が上がるからである。


「わたしと同じような状況の人は、ほかにも大勢いるに違いない」

「こういう状況に陥っている人は、必ずほかにもたくさんいる」

「つまり、非常に大勢の人が解決策を求めている、ということだ」

「そして人々が求めていれば、きっと解決策は与えられる。だから、たくさんの有効な解決策が発見されるのを待っているに違いない」

「わたしたちはユニークな解決策を『許容・可能に』できるに違いない」

「それが見つかったら、どんなにうれしいだろう」
「わたしのなかで変化が起こって素晴らしい解決策へのアクセスが可能になるのと同時に、国全体でも変化が起こって、もっと幅広い解決策が可能になるかもしれない」
「ほかの人が何を『許容・可能に』しても――あるいはしなくても――わたしには関係ないことだ」
「わたしは両親の介護についていいアイデアが楽々と流れ込むのを楽しみに待っている」

今はこのようなちょっとした努力だけで十分だと気づけば、あなたは既に前進し始めている。今はこれで十分というだけでなく、今できるのはこれだけだ。しかし、これで十分なのだ。あなたがもっと明るい前向きな気持ちになれば、目の前にはっきりと道が開け、その道が一歩一歩、解決策へと導いてくれるだろう。

事例26

交通渋滞に巻き込まれて人生を無駄にしてしまうのではと心配

意図的創造の鍵は「どう感じたいか」を決めること

質問

「わたしは人口数百万人の大都市に住んでいるのですが、交通状況が最悪です。朝晩の通勤に1時間以上もかかります。それでも順調なほうで、道路工事や事故にぶつかったりすると、もっと長時間交通渋滞のなかで動きがとれません。

もっと職場に近いところに住まいを探すこともできるでしょうが、そうなると考慮しなければならないことがたくさんあります。わたしと家族が望むとおりの住居で、しかも職場に近いところとなると、簡単には見つかりません。しかし、わたしは交通渋滞のなかで人生を無駄にしている気がするのです」

人が何を望むにしても、願望充足のプロセスを遅らせる、場合によっては願望充足をいつまでも阻む最大の要因の一つは、何を望むかよりも現状のほうに関心を固定してしまうことだ。

人は言うだろう。「わたしはあそこへ行きたいが、今はここに、こっちにいる」と。そして今いる「ここ」のほうが目に入りやすいから、普通はそれがその人たちが出す波動の大半を支配してしまう。あなたがたはこう考えるかもしれない。「それはそうだが、今自分が現実にいるのはこの状況で、本当は向こうにいたい。しかし、自分をつまみあげて別の場所に移すわけにはいかない」と。だが、理解してもらいたいのは、病気という場所にいて健康を望むにしても、太っているという場所にいて痩身を望むにしても、あるいは貧乏という場所にいて豊かになることを望むにしても、交通渋滞に巻き込まれて快適な交通事情を望むにしても、創造のダイナミズムは常に同じだということだ。何かを望み、実現すればどんなにうれしいだろうと思っても、たった今暗い気持ちでいるなら、望みが実現する方向へは向かっていない。**状況がどうであれ、あるいは状況の改善の見込みがなくても、今明るい前向きな気持ちになっていなければいけない。いってみれば今の状況と和解しておかなければ、望む場所に移ることを「許容・可能に」はできないからである。**

人はよく、「不愉快な状況と和解するのは、あきらめて現状を受け入れることと同じではないか、それでは望まない状況が長く続くだけではないか」と心配する。だが、実はそんなことはない。現状と和解し明るい前向きな気持ちになれば、つまり流れに乗って下流に向かえば、望みの実現に向かって進める。不快な状況と格闘したり不満やグチを言ったりすれば、流れに逆らうことになる。不愉快な気持ちでいる間は望みの実現は遠いままだ。

交通渋滞について不満を持てば持つほど、状況の改善は阻まれる。「交通渋滞はどうしようもないもので、巻き込まれたら自分ではコントロールできない」と言う人もいるだろう。だがあなたがコントロールできないことで、あなたに影響を及ぼすことは一切ない。しかし「欠けている」「ない」ということに目を向けていれば、前向きな変化を促すことはできない。**暗いネガティブな感情の場所から起こす行動は、決して前向きな結果をもたらさないのだ。**

外的な条件は何も変わらなくても、あなたが不愉快な気持ちから脱して、もっと安らかで明るい前向きな気持ちになれば、短い間に外的な状況も変化するだろう。不愉快な状況に目を向け続け、明るい前向きな気持ちになる努力をしないでいると、状況が改善しないばかりか、「引き寄せの法則」によってますます不愉快になっていく。あなたが見ている状況は、あなたが違う見方をするまでは変化しない。多くの人はこう言う。「もっとお金をくれたら豊かな気分になるだろう」だが、わたしたちが言うのは、「**あなたがもっと豊かな気分になれば、もっとお金が入ってくるだろう**」ということだ。

「**意図的な創造」の鍵は、単純にどう感じたいかを決め、今すぐにそう感じる方法を探すことにある。それができれば、あなたが新しく発見した引き寄せのベースに、周りのすべてが自然に従うようになる。**強力な「引き寄せの法則」はきわめて協力的で、非常に正確なのだ。

今いる場所から行きたいと思う場所への明確なルートは常に開かれている。だが、暗いネガティブな感情でいる間はルートが見えない。常に明るい前向きな気持ちでいれば、タイミングもよくなるし、新しいアイデアがわき出すし、どこかの委員会で行き詰まっていた道路改善事業が進行してあなたが望んでいたプロジェクトがふいに出現し、雇用主に在宅勤務をしてもらいたいと言われるだろう。宇宙のリソースは広大で無限だ。そして今、あなたはそこにアクセスしている。

そこで、今いる場所から始めて、もっと明るい前向きな気持ちになる考え方を探そう。

「どうして、何時間も排気ガスを吸って通勤しなければならない場所に住まいを選んだのだろう?」

「もう渋滞は我慢できない。ここで車を捨てて、藪に駆け込みたいくらいだ」

交通渋滞に巻き込まれた気分をこんなふうに大げさに表現したのは、重要なことをわかってほしいからだ。交通渋滞に巻き込まれているときの気持ちが、交通渋滞のせいだけであることはめったにない。言い換えれば、人生が順調で、人間関係でも幸福で、経済的にも恵まれており、体調も抜群な人は、交通渋滞に巻き込まれても、人生のほかの面で行き詰まって苦しい思いをしている人ほど不愉快になったり苛立ったりはしない。

しかし、どれほど暗い気持ちでいても、またその理由がなんであっても、あなたは自分が今いる場所から始めるしかない。**今いる場所から、少しずつホッとして気持ちが楽になるように努力するのだ。**

交通渋滞に巻き込まれて不愉快になっているのが本当に渋滞だけのせいなら、簡単にもっと明るい前向きな気持ちになることができるだろう。そうやって日々気持ちを明るくすることを心がけていれば、渋滞に巻き込まれてじりじりとしか進めないときでも、もっと自分の役に立つ思いつきがわき出すはずだ。道路に出るタイミングはよくなるだろう。高速道路から降りてしばらく一般道を走ろうという選択もうまく効果を上げるだろう。そうやって望みの充足方向と一致した状態でいれば、あなたとほかのドライバーの車の動きがまるで宇宙的なダンスのようにしっくりと噛み合い、驚くほど運転が楽しくなるだろう。あなたが自分の「波動の流れ」に乗っていれば、宇宙全体が協力してくれる。

「こうしている時間を利用して、大切なことを考えてみよう」

「行動より思考のほうが重要なのだから、あまり行動できない今を思考に活用しよう」

「周りのドライバーたちを観察するのも楽しい」

「パーティに出かけて、自分は言葉を交わさなくても、会話しているほかの人たちを眺めているようなものだ」

「あの人たちが何を話しているのか、どんな生活をしているのか、想像するのは楽しい」

「渋滞している道路にもいろいろな人がいて、いろいろな車があって、いろいろな物語があるのだなと思うと楽しい」

「自分の思考を使って自分自身の物語を作ると考えるのもおもしろい」

「自分の物語がわたしから、そしてわたしの車から放出していると想像すると愉快だ」

「最高に気分のいい自分自身と同調し、それからわたしに注目するほかのドライバーに注目するのは楽しい」

「もしかしたら、こうして高速道路をゆっくりと走りながら、自分自身の波動の現れを観察するのは、人生でもとても楽しいひとときかもしれない」

(ここで将来取り上げるべき新しいジレンマが生じるかもしれない。「最高の思考ができた交通渋滞がときどき懐かしくなる」というジレンマだ)

事例27 恐れはナビゲーションシステムからの通知にすぎない

「引き寄せの法則」を知ったので、自分の思考が怖いのですが

質問

「自分の思考をうまくコントロールできません。それで、自分が考えていることのエッセンスを引き寄せているのだと知った今、とても心配になりました。『引き寄せの法則』を知らなかったころのほうが幸せだったと思います。今では自分の思考が怖いからです。ときどき、とても恐ろしいことを考えている自分に気づいて、それから考えたことが実現するのではないかと不安でたまらなくなります」

自分が怖いことを考えていると気づくのは大変にいいことだ。それは「ナビゲーションシステム」が教えていることをあなたが感じ取っているという意味だから。言い換えれば、自分の考えが怖いと思うとき、その瞬間の思考はあなたの「内なる存在」の思考と対立している。悪いことが起こるのではないかとあなたが考えても、当然ながらあなたの「内なる存在」は悪いことが起こると考えたりはしない。

あなたが怖いと感じるのは、「流れに逆らう抵抗の思考だよ」と「ナビゲーションシス

テム」が知らせているにすぎない。**怖いと感じるのは、今すぐに悪いことが起こりかけているという意味ではない。その思考が流れに逆らっている、という意味だ。**

あまり長い間流れに逆らう方向を向き続けていると、本来あなたのものである幸せを失ってしまう。しかし、流れに乗る考えを習慣づけるのに大した時間はかからない。**練習すれば、抵抗のオールを捨てるのがどんなに簡単かわかるはずだ。そして怖くなるたびに、考え方の方向を変えて恐れを投げ捨てていれば、悪いことが起こる可能性は消えるだろう。**

あなたがいつも明るい前向きな気持ちでいて望む方向へと流れていれば、親しい人たちもあなたというお手本の影響を受けるようになり、やがては子どもたちや配偶者、親、兄弟、友人たちも前向きな「意図的創造」ができるかもしれない。怖さを怖がらなくてもいい。それより「なぜ怖いと感じるか」を理解し、ナビゲーションシステムとして活用してほしい。怖いのは単にあなたが流れに逆らっているという意味だ。それに、本来の幸せを否定して本当にネガティブな創造をするには、相当に長い時間一貫して流れに逆らい続けていなければならない。しかも、たとえネガティブなことが起こっても、その次には考えを組み替え、別のところに焦点を置いて違う創造をする力があなたには備わっている。

「怖いのは当たり前だ。怖いのには理由がある」と説明する人たちも大勢いるだろう。その人たちは、事実自分の人生や大切な人の人生に悪いことが起こっているではないか、と指摘する。だが、ときとして人が次から次へとネガティブな経験をするのは、最初に望まないことが起こったとき、そこに大きな関心を注いでしまい、それが第二の望まない経験を引き寄せ、さらに……というように続くからだ。ほとんどの人はだいたい人生でそのとき起こっていることに反応して考えている。それでも頑固な人は「だが、最初のネガティブなことはどうやって起こったのだ」と聞き返すかもしれない。わたしたちの答えはこうだ。「あなたに起こるすべては、あなたの一貫した思考と感情の副産物である」

こんなふうに主張する人たちも多い。「それじゃ、小さな子どもたちはどうなのか？どうして小さな子どもたちがネガティブな経験を創造したりするのか？」ここで理解してもらいたいのは、まだ言葉を話せない小さな子どもでも常に波動を出していて、その波動に「引き寄せの法則」が作用することだ。

あなたがたは皆、どんなふうに波動を出すかを周囲の環境から学ぶ。母親のおなかにいるときでさえ、母親や周囲の波動を取り込んでいる。しかし、過去に受けた影響について暗い気持ちになる理由はまったくない。今ここで、もっと明るい前向きな思考を選ぶ力を持っているのだから。そして「生命の流れ」を理解していれば、自分が流れに乗って願望充足の方向へ向かっているのか、それとも願望に抵抗して流れに逆らっているのか、自分の感じ方でわかるから、知らないうちにネガティブな影響を受けることは決してない。

あなたがたは皆、この世界の身体に宿ろうと決めたとき、ビュッフェスタイルの宴会のようにさまざまな思考に取り巻かれること、そのなかには自分の好きなものも嫌いなものもあることを知っていた。だが誰も、自分が生まれ出る環境に制限を加えたいとは思わなかった。自分のナビゲーションシステムのパワーと多様な選択肢の大切さを、これから思い出すようにちゃんと理解していたからだ。

ちょっと練習すれば、あなたはもう自分の思考を恐れるどころか、喜びを感じるようになるだろう。自分の思考を方向づけて、本当の自分という「存在」のもっと広い視野と同調させることほど楽しいことはないのだから。世界の人々や場所、経験などを「内なる存在」の目で観察すれば、怖いどころか楽しくてしかたがなくなる！

そこで、今いる場所から始めて、もっとホッとして気持ちが楽になる考え方を探そう。

「わたしは自分の思考をコントロールするのが下手だ」

「一日中、不愉快なことを考えていたのに気づく」

「だが、とても前向きなことを考えていることだってある」

「『引き寄せの法則』が、今活性化している思考に似た思考を引き寄せることはわかった」

「どの思考を活性化させるか、もっと意識して選べばいい」

「望まないことがわかれば、同時に望むこともわかる」
「もっと前向きな方向に意識して持っていくことができるはずだ」
「わたしの人生には前向きなことがたくさん起こっている」
「後ろ向きのネガティブなことよりも、前向きなことのほうが多い」
「だから、わたしの思考はだんだん前向きになっているはずだ」
「考えることがすべて、完璧に前向きな思考である必要はない」
「前向きなことだけを考えるなんて、できるはずもない」
「わたしの仕事はただ前向きな方向を心がけることだ」
「わたしはそれを実行していると思う」
「数週間前よりもずっと上手になった」
「わたしは自分の思考を方向づけている」
「最近は気持ちが明るく前向きになっただけでなく、物事も好転している」
「わたしが求めている証拠は、条件が変化することではなく、気持ちが明るく前向きになることだと気づいた」
「それにいつも気持ちを明るく前向きにしていると、外部の条件もよくなっていくはずだ」
「わたしは創造のプロセスを理解しただけでなく、効果的に活用している」

事例28

夫の病気が大変に重いのですが

相手のエネルギーと思考を調和させるには、まずあなたから

質問

「医師たちに、夫の病気は大変重い、医学的にはこれ以上打つ手はないだろう、と言われました。夫は数年前から病気にかかっており、わたしたちは医師が治療法を提案してくれる限りは回復の望みがあると信じてきましたので、二人とも希望を失って動揺しています。

わたしはどうしていいかわかりませんし、夫になんと言えばいいのかもわかりません。夫が回復するという希望を持ち続けるべきなのか、それとも夫に、それにわたし自身にも最期の覚悟をさせるべきなのでしょうか？」

大切な人が病気で肉体的、精神的に苦しんでいるのを見ているとき、自分のバランスを見いだすことは容易ではない。また、あなたが夫である男性と長年暮らしをともにし、いろいろな意味で二人の人生がからみあっているとしても、夫の日々の思考の波動と彼の「内なる存在」の波動がどうからみあっているのかを本当に理解することは不可能だ。あなた

が本当に理解できるのは、自分のさまざまな波動の集まりだけだから。

人は愛する家族の病気に関して非常に強力な願望を持つことがあり、それが当人の助けになるより、妨げになる場合がある。だが、そういう厳しい状況のもとでも、「自分のバランス」を見いだすことはできる。そして、それが見いだせたとき、あなたはいつでも病人の助けになれる。

あなたは夫に代わって考えることはできないし、夫の現実を創造することもできない。だが、あなた自身のために考え、あなた自身の現実を創造することはできる。そして、あなたが真の調和を見いだしたとき、あなたの影響力は非常に大きくなる。

こう言うと、こんなふうに思う人もいるかもしれない。「それではわたしは、なんとしてでも調和を見いだし、それから配偶者が病気から回復するように働きかけよう」だが、わたしたちならこう言う。「わたしは調和を見いだし、それから彼が自分の調和を見いだすように働きかけよう。そうすれば、彼は本当に望むとおりのことができる」

病気は常に波動のアンバランスが引き起こしている。どんな場合も病気は、その人に非常に強い流れがあって、しかも、当人はなんらかの理由でその流れに逆らっていることを意味している。自分が住む世界の問題について考え込んでいるとき、ほとんどの人は自分のなかの波動に気づかないので、内なる抵抗を引き起こすようなことを考えるものだ。赤ん坊でさえ、周りの環境に反応して、このような流れに逆らう波動に影響される。

科学者や医師たちはいつも、それぞれの時代の病気の治療法を探している。そして、医学や治療法、食事法について際限なく変化し続けるさまざまな選択肢を提供する。だが、治療可能な病気の数よりも新しく発見される病気の数のほうが多いのだから、彼らは毎年負け戦を続けるだろう。病気に関しては医学的治療法を探すよりも、波動が病気の原因であることを理解しなくてはいけない。**この世界には調子の狂ったエネルギーに対処しきれる活動などはあり得ない。**

だから、あなたの夫の回復についてはまだまだ望みを持てるはずだ。医学界に見放された今、夫はどっちにしても唯一効果のあることのほうへ関心を向けるだろう。つまり、自分自身の「存在」の調和に目を向けるはずだ。活動の選択肢が品切れになって初めて、自分自身のエネルギーを調和させる努力をすることはよくある。それで病気から回復すると医師たちは奇跡だと言うが、実は奇跡でもなんでもない。単に思考と波動、そしてエネルギーが再び調和しただけだ。

自分が何を望まないかを知ったときには、必ず自分が何を望むかも明確になっているから、あなたの夫は相当期間、自分の健康についての強い願望を「波動の預託口座」に貯えているはずだ。ということは、夫の流れが非常に速くなっていることを意味する。言い換えれば、病人は「波動の預託口座」に向かって健康という願望のロケットを次々に打ち上げているが、流れはそれに応じていっそう速まり、また「内なる存在」もさらに強力に回復と健康に向かって引き寄せようとするので、当人が健康のほうへ向かわない限り、病気はさらに重くなる。

この仕組みがわかるだろうか？　正確にはこういうことになる。「病気が重くなればなるほど、わたしが発動させた回復と健康の可能性も大きくなる」実は、瀕死の重病からの回復のほうが、もっと軽い病気からの回復よりも容易なのだ。生死にかかわることは「波動の預託口座」に強力なパワーを与える。そこで必要なのは、もっと明るい前向きな気持ちになろうとする意志だけだ。

あなたの夫という「存在」の波動をコントロールできるのは夫だけで、あなたが代わってその仕事をすることはできない。あなたの仕事はこのようなつらい状況のさなかでも、あなた自身の波動の調和を維持することである。それができれば、あなたの影響力はとても大きくなる。今のような状況では、あなたはつい不安な思考に傾きがちだろうが、明るい前向きな思考をするように心がけなくてはいけない。夫のためではなく、あなた自身のために。そして、あなたが自分の願望と同調できたとき、夫にも前向きの影響を与えることができるだろう。

あなたが「夫を助けたい」ということとは別に自分の調和を求めるなら、夫の助けになれる可能性もずっと大きくなる。だが、夫を助けるために自分の調和を求めようとすれば、どうしても夫の病気に焦点を合わせがちになる。それでは、あなたは自分の調和を見いだせない。したがって、自分自身が調和していれば可能な、力強い影響力を持つ波動を送り出すこともできない。

あなたが会うほとんどの人は、「あなたがどう感じるかは夫の容態次第だ」と言うだろう。だが、夫の容態が改善しても悪化しても、あるいは生きながらえても亡くなっても、あなたは明るい前向きな気持ちになる方法を見つけなければいけない、ということを理解してほしい。そのくらい自己中心的になって初めて、あなたは彼を助けることができる。

今あなたがいるところから始めて、もっと明るい前向きな思考を探してみよう。

「わたしは夫を助けて、もう一度元気にしたい」

「医師たちは望みはないと言う」

「わたしはどうしていいかわからない。あきらめたくはないが、希望を持ち続けるのも愚かだと感じる」

「夫が死ぬかもしれないという怯《おび》えは、夫が死ぬかもしれないというあきらめへと変わった」

「そして夫が死ぬかもしれないとあきらめている自分に罪悪感を感じている」

「わたしだけは最後まであきらめてはいけないはずなのに」

こういう状態をなんとかしようとすることの空しさを感じとろう。そして、自分がコントロールできることに関心を向け、前向きな感じ方をするように心がける。夫の生命を救おうと考えないこと。生と死の問題をなんとかしようと考えないこと。医者を変えようとか、医学を改良しようとも考えない。自分にできるただ一つのことをしなさい。自分の思考を意識して選ぶことで、明るく前向きに感じられるようにするのだ。

「ある日は感情的につらくて耐えられなくなるが、別の日には少しは明るい気持ちになる」

「こういう極端な状況のもとでも、感情には変化があることがわかった」

「このやりきれない思いから解放されたら、さぞうれしいだろう」

「夫の病状を変えるのはわたしの仕事ではないと気づくと、ホッとする」

「死にかかわることの理解にはとても大きな価値があるはずだと思うと、気持ちが楽になる」

「地上に生きている者やこれから生まれる者のすべてに訪れる『死』というものがなんらかの意味で悪いことだなんて、まったく理屈に合わないと思う」
「わたしは夫の死を望んではいないが、夫の生死をどうにかするのはわたしの仕事ではないと思うとホッとする」
「この物質世界がどんなふうに見えない世界と組み合わされているのか、いつか完全に理解できるかもしれないと思うとうれしい」
「わたしたちはみんな『永遠なる存在』であることを思い出すとうれしい」
「『死』は別れではないことがわかると、ホッとする」
「わたしたちの思考は『死』の経験を超越するとわかると、とてもうれしい」
「わたしたちの関係は『永遠』であることを思い出そう」
「夫がこの世にとどまるにしても、見えない世界の視野へと解放されるにしても、夫が安堵と解放感を見いだしてほしいと思う」
「夫が安堵と解放感を見いだすことに焦点を合わせると、気持ちが楽になる」

流れに乗った考え方をしようという一回の努力で、あなたが「死」という（長い間、人類を苦しめてきた）問題を完全に理解し解決できるとは思っていないが、あなたの波動はもう相当に変化しているはずだ。これはほとんどの人が気づいているより、はるかに大切なことだ。言葉では教えられないが、人生経験が教えてくれる。自分の思考を意識して方向づけることによってのみ得られる真の安堵と解放感を見いだせば、あなたはこれまでとは違った波動を出し、それが夫の波動に影響するだろう。そして、厳しい人生経験によって夫の願望がピークに達している今、あなたと夫の両方が抵抗を捨てて、ほんの少し流れを「許容・可能に」する意志を持てば、大きな変化が起こる可能性がある。

あなたの視点から見て、起こり得る最高のこと

・あなたの気持ちがずっと明るく前向きになる
・あなたの助けで、夫もずっと明るく前向きな気持ちになる
・夫のエネルギーが大きく改善される
・夫が健康を取り戻す

起こり得る最悪のこと

・あなたの気持ちがずっと明るく前向きになる
・あなたの気持ちがずっと明るく前向きになる

・あなたの気持ちがずっと明るく前向きになる
・夫が再び純粋で前向きなエネルギーに溶け込む
・夫の気持ちがずっと明るく前向きになる！

「真の自分」と完全に調和するまでは、全員の幸福へと働きかける素晴らしい影響力が自分にはあることに気づかないだろう。

事例29 別れのあとに素晴らしい彼がやってくる！

恋人に捨てられました

質問

「2年間一緒に暮らしていたボーイフレンドが出て行きました。すべてに気が合っていたわけではないし、ケンカもしましたが、深刻な衝突はなかったのに。わたしは二人の仲は順調だと思っていたので、彼のほうがもう一緒に暮らしたくないと思っていたなんて、信じられませんでした。彼は決してほかに好きな人ができたのじゃないと言うのですが、もしまだわたしを愛しているなら、突然理由もなく出て行ったりするでしょうか？」

人間関係を望む人のほとんどは、平凡な関係でも何もないよりはましだと信じているが、わたしたちは賛成しない。言い換えれば、素晴らしい人間関係の可能性は常に存在するのだから、つまらない人間関係で満足することは勧めない。

あなたの感情はあなたのなかの波動の集まりから生じていることを思い出そう。だから、何かについて二人の人間の感じ方が完全に同じだということはあり得ない。外から見れば同じ経験を分かち合っている二人でも、それぞれ波動が違うから、一方はその経験を楽しみ、もう一方は楽しんでいないかもしれない。

相手が何を望んでいるかを推し量って相手の望みを満足させようと努力するよりも、自分が望むことに自分の思考を向けるほうがはるかに生産的だし、結果にも満足できるはずだ。

人生で何かを経験するたびに、あなたは自分の「波動の預託口座」を増やしていく。何か望まないことが起こるたびに、あなたは「そうじゃない、自分の望みはこれだ」という波動を送り出す。例えば今のあなたは、恋人が出て行ってしまったので、一緒にいたいと思ってくれる人が欲しいという願望を、以前よりもっと強く明確に送り出している。

人生を通じて、たくさんの経験があなたに願望を送り出させてきた。だから、あなたの「波動の預託口座」には素晴らしい人間関係が創造されていて、あなたがそれを現実化するのを待っている。あなたは「流れに乗る」考え方をするたびに、願望の実現に近づく。だが、今のあなたは傷心のために流れに逆らっている。自分を待っている人間関係に近づくことを「許容・可能」にしていない。

今までに人間関係で嫌なことが起こったことも、今素晴らしい人間関係があなたを待っている理由の一つだ、と言うと、人はよくびっくりする。ただし、過去に起こった嫌なことと同じドラムを叩き続けていれば、せっかく創造されている素晴らしい人間関係を発見することはできないだろう。

また、「相手が急に出て行ったように見えても、本当は関係がうまくいっていないという徴候はあったはずだ、それをあなたは見逃していたのだ」と言う人もいるだろう。「あなたがもっとボーイフレンドと細かく波長を合わせていたら、こんなことにはならなかった、もっと早く問題に気づいただろう」とも言うかもしれない。だがわたしたちは、あなたが破綻に気づかなくてよかったと思う。それは、あなたが問題を求めていなかった、ということだからだ。それに、あなたは人間関係の前向きな面にしっかり焦点を合わせていたということでもある。

疑問：「わたしがそんなに前向きな考え方をしていたのなら、どうして彼は出て行ったのか？」

そこのところをしっかりと理解してもらいたい。あなたが明るい前向きな気持ちでいるときには、最後にはすべてあなたが満足するように運ぶ。言い換えれば、起伏のある人生があなたに素晴らしい未来の経験が詰まった「波動の預託口座」を創造させてきた。その未来があなたを呼んでいる。だから、明るい前向きな気持ちになっていれば、素晴らしい未来があなたのほうに向かって来るし、あなたもそちらに向かって行く。**簡単に言えば、どんな理由にせよあなたから離れて行った人は、「波動の預託口座」であなたを待っている素晴らしい未来と一致していないのだ。**

もう一つ、あなたがきっと素晴らしいと思うことがある。あなたができる限り相手を喜ばせようとして、ボーイフレンドを注意深く観察していたとしよう。そして彼が二人の関係に何か不満があって、あまり幸せでなさそうなのに気づく。あなたは彼の不幸に気づいて心配し、彼を幸せにしようともっと一生懸命になる。ここで、いちばん理解してもらいたい重要なことは、自分が暗い気持ちになることに焦点を合わせているあなたは、もう自分自身の願望と同調していない、ということだ。だから、あなたは下流ではなく、流れに逆らって上流に向かおうとしている。あなたは自分の真の願望ではなく、彼の不幸に同調している。その場合、もしかしたらもうちょっと彼を引き止めておけるかもしれない。言い換えれば、ボーイフレンドの不幸に焦点を合わせ、なんとか彼を幸せにしようと努力して、あなたは「真の自分」や本当の願望からますますずれていく。あなたは彼をなだめ、彼は別れを思いとどまる。多くの人はそれを成功と考えるだろう。だが、もっと大きな観点からすれば、あなたは自分自身ではなく彼を喜ばせている。そんな状況では、いつかはあなたのほうが別れたくなる日が来るだろう。

彼の不満に気づかず、人間関係の前向きな面に焦点を合わせ続けていたあなたは、人間関係について自分の本当のビジョンに忠実だった。彼はそのビジョンに合致していないから出て行ったのだ。断言するが、それはあなたにとって悪いことではない。周りで人がじたばたしていても、あるいはあなたのもとから去って行っても、いつも明るい前向きな気持ちでいれば、あなたが本当に望むことはきっと実現する。今は難しいかもしれないが、彼が不満を募らせていてもあなたが影響されなかったように、今彼が出て行ったことにも動転しないでいれば、今まで波動のなかで創造してきた人間関係は必ず現実化する。ここでも、あなたがすべきことは同じだ。前向きな面を探すこと。誰かのドラマにひきずられないこと。相手の乱れを歪んだ形でなだめようとし、無理して相手を喜ばせようとしないこと。あなたの真の願望と一致しないことは経験から消えるに任せたほうがいい。

今の状況はあなたが大切に思っているさまざまなことに関連するから、あなたはいろいろな面で苦痛を感じるだろう。愛を望んでいるのに愛されていないと感じるだけでなく、安定を求めているのに安定していない、大事にされたいのに捨てられたと感じるだろう。恋人が去ったばかりだから、こんなふうに感じるのは無理もないし、明るい前向きな考え方を探すのは簡単ではないだろうが、しかしその努力がいちばん大切だ。

「引き寄せの法則」は、あなたとあなたの波動にマッチした環境や出来事や人々を引き寄せる。だからあなたが意識して波動を選べば——とりわけあなたが創造した「波動の預託口座」にマッチした波動を選べば——完璧な伴侶だと思う人と必ず出会える。逆に、あなたが本当に望む恋人に自分を同調させていないと、あなたは自分の感情に合った恋人を引き寄せる。捨てられたと感じていれば、また同じことをする相手を引き寄せるだけだろう。

あなたは思っているよりずっと少ない時間と努力で、自分が完璧だと思う人間関係と同調することができる。そのうち（予想よりもずっと早く）去った恋人を思い出して、彼が出て行ったおかげで完璧な伴侶に会えたと感謝する日がやってくるだろう。そのときは、こんな手紙を彼に書こうと思うかもしれない。

あなたはわたしの心を引き裂いたけれど、でもそのおかげで、自分が本当に望むことがはっきりしました。あなたにつらい経験をさせられたので、こんな素晴らしい願望のロケットが誕生し、その願望の方向に自分を同調させたわたしは、びっくりするほど早く喜びに満ちた人間関係にめぐり合いました。あなたもわたしとのつきあいから同じような素晴らしい成果を上げますように。

多くの人たちは、物事をうまく収めようとして大変な苦労をしている。だが、誰かが望むようなあなたではなく、「本当の自分」と同調する努力をすれば、あとは「宇宙」が出会いを運んでくれる。自分の調和を維持するように心がけなさい。そうすれば宇宙があなたに合ったパートナーを連れてきてくれるだろう。それが「法則」だから。

そこで、今あなたがいるところから少しずつ明るい前向きな思考を探そう。

「わたしはショックを受けて落ち込んでいる。どうしていいかわからない」
「こんなことが起こるなんて、信じられない。彼こそ運命の人だと思っていたのに」
「どうして、彼はわたしにそんなふうに思わせたのか?」
「どうして彼は、いつまでも一緒にいたいと思っているなんてふりをしたのか?」

さて、こんな無力感から脱出できるかどうか、やってみよう。少なくとも、ベッドから出る気になることを考えてみよう。

「こんな目にあうのはもうたくさん。二度とこんな経験をするものか」
「わたしがこんな目にあっていいはずがない」

「彼が出て行ってよかった。わたしが思っていたような人じゃないことがはっきりしたんだから」

あいかわらずネガティブな考えではあるが、こう考えると少しはホッとするだろう。その調子で続けよう。

「わたしたちの相性が完璧でなかったのは確かだ」
「起こったことにくよくよしていたって、しかたがない」
「とてもいい人生勉強だった」
「考えてみれば、なんとなくそんな気がしていたのかも」
「そのときは知りたくなかったけれど、実はこうなることはわかっていたようだ」
「今度のことは決して後悔はしていない」
「別に本当に恐ろしいことが起こったわけではない」
「自分が本当に望むことは別のところにあると気づくのは、悪いことじゃない」
「彼との関係のおかげで、自分がどういう人間で、何を求めているのかがいっそうはっきりした」

「今後の人間関係についても意欲がわいてきた」

「ゆっくりと前進すればいい」

「急いで結論を出す必要はない」

「実は一人になってせいせいした面もある」

「ある意味では、これから何が起こるのか楽しみなくらいだ」

「この経験のおかげで、今度はもっといいことが起こるに違いない」

「いつかは、彼のおかげで自分が本当に望むことがわかったと感謝するかもしれない」

「でも、今日はそんな気にはならないけれど」

「いや、そうでもないかな。少しはそんな気持ちもする」


これであなたはきっと前より明るい気持ちになっている。あなたはそれだけを心がければいい。明るい前向きな気持ちを持ち続ければ、あなたの望みはすべてかなうのだから！

事例30

病気のイヌが教えてくれること

ペットが病気で金銭的に困っています

質問

「わたしのイヌはまだ若いのですが、しょっちゅう病気になります。一つよくなるとまたすぐに別の病気になるという具合で、獣医の費用もかさみます。このイヌを愛していますし、苦しめたり死なせたりしたくないのですが、こう始終獣医に連れて行かなければならないのも困ります。いったいどうなっているのでしょうか？」

あなたのイヌも地球上のすべての動物と同じで、普通は自らの「内なる存在」にたいていの人間よりもうまく調和しているはずだが、多くの場合、人間と過ごす時間が長いペットよりも野生の動物のほうがよく調和している。ペットは人間という共同創造者を観察するだけで、人間のように自らのエネルギーを分裂させることがあるからだ。また、人間も動物も皆もともと自由を望んでいるので、閉じ込められている動物は自由にうろつきまわっている動物よりも抵抗を感じやすい。人間にはわかりにくいのだが、地球の動物はいつだって安定よりは自由を選ぶだろう。

しかし、多くの動物は人間と環境を分かち合って幸せに暮らしており、あなたがたには窮屈な環境だと思える場合でも、全体的な波動の調和のなかでは抵抗は生じていない。ただし、ペットは激しいネガティブな感情が渦巻く環境では決して元気には暮らせない。純粋で前向きなエネルギーである野生動物は、人間が近づくと逃げ出す。人間を怖がっているからではなく、人間に明るい前向きな感情を感じないからだ。

ペットは長年の間に人間の波動に順応し、たいていは人間と交流している間も自分の調和を維持することができる。そして、あなたがたと同じように、何かに関心を向けると、それがペットという「存在」の波動のバランスを作り出す。ペットがあなたがたを関心の対象とし、あなたがたが自分自身のソースエネルギーと調和していないと、ペットも影響されて自らのソースエネルギーとのつながりが薄れる。だが、ペットには柔軟性があって容易に調和を回復できる。ペットは人間のように恨みを引きずったり、過去の出来事を何度も心のなかで再現したりしないからだ。不愉快な状況が過ぎ去れば、すっかり忘れる。

だが、動物が毎日ストレスや怒りにさらされたり、自分は邪魔者だとか望まれていないと感じさせられると、エネルギーがバランスを崩し、その乱れが身体的な不調となって現れる。

自分の現実をどう創造するかを知りたいと思って「意図的創造」を学ぶ人たち、「感情というナビゲーションシステム」を理解しようと努力する人たち、もっと流れに乗り続けたいと思っている人たちでも、自分がペットにネガティブな影響を与えているのに気づいて、初めて学んだことを実践する決意をする場合がよくある。ちょっとおかしいのだが、人はネガティブな感情が引き起こす不都合が自分にだけ影響するなら我慢しても、かわいいペットの暮らしにまで影響していると気づくと、なんとかして変えようという気になるようだ。

あなたがペットの具合を心配しているのはいいことだが、わたしたちはあなた自身の幸せについても気にかけてほしいと思う。

あなたが流れに逆らっていて（ネガティブな感情を抱いていて）、オールを手放す努力を何もしないでいると、「引き寄せの法則」は引き続きあなたの波動に反応し、状況はさらに悪化する。そして、あなたはもっと暗いネガティブな気持ちになる。

あなたが抵抗を捨てる努力を全然しないでいると、「引き寄せの法則」は引き続きあなたの波動に反応し、状況はさらに悪化する。そしてあなたはいっそう暗いネガティブな気持ちになる。

それでもまだ努力をしないでいると、やがてはあなたの身体にもアンバランスの症状が現れ出すだろう。

ときには、大事なペットがあなたのナビゲーションシステムの一部として身体的症状を示すことがある。まるで、あなたが自分のネガティブな感情に耐えても、ペットにはネガティブな影響を与えたくないと思うのをペットが理解しているようだ。そうやって多くの場合、ペットはあなたがたがこの物質世界の身体に宿る前に抱いていた意図を実現させようとする。つまり、**あなたの波動のありさまをあなたに伝えてくれる。**

ペットはまた、あなたがこの「死」という問題を乗り越える手助けをしようとする。ペットに死など存在しないこと、ただ永遠の生命だけがあることを知っている。ペットは喜んで**物質社会の一つの身体からまた次の身体へと移っていき、決して死を恐れず、生命という喜びの川に乗って流れる喜ばしい旅を楽しんでいる。あなたのイヌは地球で最も素晴らしい教師の一員なのだ。**

そこで、愛するペットについて、少しずつ気持ちが明るく前向きになる考え方を探そう。


「どうしてうちのイヌはいつも具合が悪いのか」

「こんな状態には何の価値も見いだせない」

「イヌの具合が悪そうなのを見るのはつらいし、かかる費用も莫大だ」

「このままそっとしておきたいという気がするが、しかし苦しませるのも死なせるのも嫌だ」
「これ以上、獣医の費用を払いきれない」
「獣医に連れて行くのもつらい」
「だが、連れて行かないのはもっとつらい」
「何をしてもホッとできないなら、ただ気持ちを前向きに明るくするよう努めるべきかもしれない」
「イヌは賢いから、わたしに何かを言いたがっているのかもしれない」
「少し状況を突き放して見て、何がわかるか考えてみよう」
「今すぐ気づくのは、明らかに体調が悪くても、イヌ自身はわたしほど心配はしていないらしいことだ」
「イヌは以前のように元気に飛び回りはしないが、今でも明るい」
「話しかけると、いつだって尻尾を振ろうとする」
「ときには、心配しているわたしを逆に元気づけようとしているようにさえ見える」
「イヌを元気づけたいから、心配している様子は見せないでおこう」
「イヌの体調については、もっと前向きに考える努力をしよう」

「話しかけるときも、もっと前向きな言葉をかけよう」

「もう獣医の費用についてこぼしたりはしないぞ」

「一緒にいないときは、イヌがきっとよくなっていると思おう」

「仕事から帰ったら、よくなっている徴候を探そう」

「ちょっとでも症状が改善したら、よくなったぞと話してやろう」

「明るい前向きな気持ちになることだけを探し、あとのことは気にかけないようにしよう」

「わたしが意図的に思考の焦点を合わせられるように、イヌが仕向けてくれている気がする」

「イヌは無条件の愛情を教えてくれる偉大な教師だ。イヌはわたしの気持ちを明るくするために状況を変えようとはしない」

「イヌのメッセージが理解できる気がする。『わたしの体調がよくなったから気持ちが明るくなるというのではなく、自分で選んで明るい前向きな気持ちになりなさい』」

「こう考えると力がわいてくる」

「なんて素晴らしいイヌだ！」

事例31

家計の問題はエネルギーバランスの問題

どうして、いつもお金が足りない？

質問

「お金の心配をしないで済んだ記憶がありません。気がつけばいつも予想外の出費があり、家族や自分のために必要なものの値段はどんどん上がっていくのに、給料は物価ほど早く上がらないのです。

以前は週に40時間働き、妻は専業主婦でした。今、妻はフルタイムの仕事に就いていて、わたしは週60時間働いています。それなのに全然経済的余裕がありません。よその人たちは休暇をとったり、新しい家や新しい車を買っていますが、どうしてあんなことができるのかと思います。わたしには何が欠けているのでしょう？」

家計の問題というのは、理屈から考えて単純に収入と支出のバランスをとるだけのように見えるが、実は普通の人が気づいていないもっと強力な要因がある。要するにいくら行動でがんばっても、あなたという「存在」のエネルギーが分裂していたらどうしようもない、ということだ。あなたが家計について今のように感じている限り、たとえ現状からしてそう感じるのは無理もないとしても、状況は改善されない。「引き寄せの法則」はあなたの行動ではなく波動に反応するからだ。

もちろん、「行動」の生産性にはわかりやすいさまざまな変数がある。力が強い人は弱い人より重い物を持ち上げられるし、敏捷《びんしょう》な人はのろまな人よりも仕事が速く、1分あたり60ワードタイプできる人は、20ワードしか打てない人よりも多くの仕事をこなす。だが、このような行動の変数は、エネルギーを整えることで達成されるレバレッジ(てこの働き)に比べれば小さなものだ。はっきり言えば、エネルギーの乱れを行動でカバーすることはできない。

お金の不足について流れに逆らう考え方を展開しているとき、あなたはもっと収入を増やす道を見つけることを自分で邪魔している。お金が足りない不満でイライラして、もっと明るい前向きな考え方を探す努力をしないでいると、あなたの欲求不満は怒りへ、さらには恐怖へと変化する。あなたの思考パターンは流れに逆らい、さらに経済的な幸せの流れへの抵抗を強めていく。そして、暗い気持ちになればなるほど、事態は悪化する。暗い気持ちになるとあなたの抵抗はさらに強くなり、求めている解決策の発見を妨げ続ける。

十分なお金がない、ということに焦点を合わせているとき、あなたはもっとお金が欲しいという波動を出し、そのためにあなたの「流れ」は速くなる。だがお金が足りないことに焦点を合わせて、流れに逆らい続けているとき、あなたの「内なる存在」は下流においでと呼びかけている。経済状況に対する激しいネガティブな感情は、二つの重要なことを意味している。

①あなたは大きな経済的援助を求め、あなたの「内なる存在」は、援助はこちらにあるよと呼びかけている

②あなたは流れに逆らい、求めるお金とは反対の方向を向いている

あなたと奥さんがどれほど長時間働こうと、また家庭にどれほど収入があろうと、まず**自分という「存在の波動」のバランスを実現しなければ、「経済的」バランスは実現しない。**オールを手放して流れに身を任せれば、あなたはすぐにホッとして気持ちが楽になるのを実感し、間もなく経済的にも楽になるはずだ。

長い間何かを望んでおり、したがって「波動の預託口座」が相当に増えていれば、ほんの少し楽になるだけで大きな効果が上がる。言い換えれば、数日間明るい前向きな気持ちでいることができれば、抵抗がなくなった証拠になんらかの形で経済状態が好転するだろう。

それによって自分はお金の流れをコントロールできること、またたった今自分の経験にどれほどのお金を呼び込むかもコントロールできることを理解すれば、そのうち自分の経験のパターンを通して、なるほどこの理解は間違っていないと気づくだろう。常に望みどおりの成果を挙げる鍵は、たとえお金が足りなくても明るい前向きな気持ちを維持することだ。自分の気持ちをうまく管理できるようになれば、エネルギーの調和がどれほど強力なレバレッジ（てこの働き）を持つかわかるし、「引き寄せの法則」が本物の富を届けてくれる。だが、目の前の現実に条件反射的な気持ちを抱いている限り、入ってくるお金はあなたの行動がもたらすごくわずかな額にとどまるだろう。

今あなたがいるところから始めて、明るい前向きな気持ちになる考え方を探そう。

「いつもお金が足りないことにはもううんざりだ」
「どうすれば、十分な収入が得られるのか見当もつかない」
「長時間働いて、わたしはいつもへとへとだ」
「あっちこっちを切り詰めて家計のつじつまをあわせるのには、もう飽き飽きした」

これが今のあなたの気持ちで、一時的にあなたがいる場所だが、こういう考え方ではお金がもっと力強くあなたの経験のなかへ流れ込んでくることはあり得ない。あなたはまず考え方と気持ちを変えなくてはいけない。ただしわたしたちは、経済状態を改善するために思考と感情を改善しなさいと言っているのではない。そうではなくて、あなたが送り出す波動を改善するために、思考と感情を改善しなさい。自分の感じ方の改善を目標にしていれば、いつも明るい前向きな気持ちでいられるし、そうすればもっとたくさんのお金が流れ込んでくるだろう。

「わたしは近所の誰よりも長時間働いている」
「ほかの人たちのほうが簡単に稼げるらしい」
「毎日、知り合いの誰かが新しい車を見せびらかしているようだ」

誰かと自分を比べていると慢性的にバランスが崩れて、自分の思考をどうやっていい方向へ持っていけばいいかわからなくなる。ただし、もっと明るい前向きな気持ちになる考え方を探そうと決めて、自分のなかのある思考と別の思考を比べるなら、比較的早く流れに乗ったなと感じ取ることができるだろう。

「わたしたちだって、それほどひどい暮らしをしているわけではない」
「それどころか、なかなかいい暮らしをしている」
「妻もわたしも自分たちの努力の成果には誇りを持っている」
「わたしたちはいい決断をしてきた」
「マイホームの価値も相当に上がっている」
「全体的に考えてみれば、わたしたちの暮らしは確実によくなっている」
「昔を思い出すと、よくここまできたと思う」

あなたは既にとても明るい気持ちになっている。さあ、どこまでいけるかやってみよう。

「家計をうまくやりくりしよう」
「いや、今だってとてもうまく家計を運営している」
「きっとインスピレーションがわいてくるだろう」
「今のところ、わたしたちは十分にやっていけている」
「もっと豊かになると期待するととても気分がいい」
「ときどき、未来はとても明るいと実感する」

「わたしたちの人生はこれからだし、未来はチャンスに満ちている」
「これからの人生がとても楽しみだ」

このプロセスであなたがどれほど力強い仕事を成し遂げたか、よそから見ているだけでは理解できないだろう。まだ実際にお金が流れ込んできているわけではないからだ。だが、あなたが「流れ」のパワーを理解し、明るく前向きな気持ちになったことで抵抗が大幅に減ったことに気づけば、このプロセスが非常に建設的であることがよくわかるだろう。そして、思考のパワーを疑う悲観主義者とは違い、状況がどんどん好転して望みが次々にかなうという素晴らしい経験をするはずだ。ほかの人たちはあなたを「ラッキー」だと言うかもしれないが、あなたにはどうしてそうなったのかがわかるだろう。なぜなら、あなたが意図的に引き寄せたのだから。

事例32

ペットが死んで、悲しくてたまりません

悲しいのは「内なる存在」からの分離

質問

「ペットのイヌが死んで、つらくてたまりません。イヌが永遠に生きているはずはなく、自分のほうが長生きするだろうということもわかっていたつもりですが、でも、死なれた今、悲しくてたまらないのです。うちに帰るのも嫌になりました。ドアを開けようとするたびに、もう迎えてくれるイヌはいないのだと思って悲しくなるからです。毎日いろいろなことでイヌを思い出し、そのたびに悲しみが深くなります。これほど長く悲嘆に暮れているなんておかしいと思うのですが、どうしても抜け出せません。友人たちは、またイヌを飼ったらと言いますが、そんな気にはなれません。それにイヌを飼っても、いずれ同じ悲しみを味わうだけではありませんか？」

ほかのどんな経験よりもペットに死なれたときのほうが、大きな悲しみを感じる人は多い。「このつらさは理屈に合わない、間違っている、人生にはペットよりもっと大切なことがたくさんあるだろう」と考える人もいる。「彼は父親が死んだときよりもイヌが死ん

だときのほうが悲しんでいるじゃないか」と、そういう人たちは言う。

何かを望めば望むほど、それを失ったことに焦点を合わせたときの苦しみは大きくなる。だが今、あなたがペットの死に感じているつらさは、イヌがいなくなったせいではない。そこにはもっと大きなことがある。

ペットはあなたにとって純粋で前向きなエネルギーの象徴だった。イヌはその生涯を通じて、生まれたばかりのあなたと同じ状態を維持していた。つまり、純粋で前向きなエネルギーの延長だった。そして、あなたはイヌに関心を向け、イヌと交流することで、自分自身の「『源《ソース》』とのつながり」を強く感じることができた。だから、もちろんイヌがいなくなったのは悲しいが、**本当にあなたが悲しんでいるのは、イヌが教えてくれた自分自身の「源《ソース》」とのつながりを失ったことのほうなのだ。**

・イヌはありのままのあなたを愛して、あなたに変われと要求したりしなかった
・イヌは自分の幸福の責任をあなたに負わせたりはしなかった
・イヌはあなたといるときには楽しみ、いないからといって苦しんだりしなかった。イヌの喜びはあなたの行動に依存してはいなかった
・イヌは死を予想せず、恐れていなかった。自分という「存在」の永遠性を理解していた

こういうことは、あなたの父親についてはあてはまらない。わたしたちがあなたの立場なら、イヌと一緒に過ごしたときの明るい気持ちに焦点を合わせるだろう。散歩が大好きだったこと、小鳥やリスを大喜びで追いかけたこと、前足に頭をのせてのんびりと寝そべっていた様子などを思い出そう。こうしてかわいかったイヌの思い出にゆったりと浸っているうちに、あなたは同じ部屋にイヌがいたころの調和を取り戻すだろう。そのとき、あなたが望めば「宇宙」はそのイヌに代わるイヌを送ってくれるだろう。あなたが調和を取り戻す実践をする気になれば、靴を噛んだりしない子イヌを引き寄せることができるだろう。

波動を理解し、あなたのイヌが調和について何を知っていたかを理解すれば、あなたも調和を取り戻し、イヌを失った喪失感を手放すことができる。それだけでいい。あなたはまだ、別のイヌと共同創造をしたいとは感じていないだろうから。いずれにしても、前のイヌを失った隙間を埋めようとして別のイヌを手に入れることは勧めない。それよりも、失われたあなたの「内なる存在」との調和を取り戻してその隙間を埋め、そのうえで何か思い立ったら、素直に行動すればいい。

それでは今の悲しみを踏まえたうえで、もっと明るい前向きな気持ちになる、流れに乗った考え方を探そう。

「ときにはちょっとだけ、イヌがもういないことを忘れている。でも、思い出すとまた悲しくなる」

「何を見てもイヌを思い出して寂しい」

「イヌがいなくなって、もう二度と前のようにはなれないと思う」

「時間がすべてを癒すというが、この悲しみは癒されない」

「うちに帰ったとき、迎えてくれるイヌがいないのがいちばんつらい」


これはイヌを失った今のあなたの気持ちや考え方そのままだ。少しだけ明るい考え方を探すというプロセスは、かわいかったイヌを生き返らせることはできないが、それでもその気になれば、少しは明るい気持ちになれることをあなたに気づかせるためのものだ。ただし、いつまでも同じことを考え、同じことを言いながら、それで気持ちを前向きにすることはできない。あなたは気持ちが明るくなる考え方を探して努力しなくてはいけない。


「いつも悲しいわけではない。ほかのことを考えることだってあるから」

「ときどき、かなり長い時間悲しみを忘れていることがある」

「イヌが生きていたときだって、一日中イヌのことを考えていたわけではない」

「イヌを連れずに外出したことだって多かった」

こういう考え方はそれまでの考え方とほんのちょっと違うだけだが、それでもずっと明るい気持ちになっているだろう。この調子で続けよう。

「あんな素晴らしいイヌと過ごせて、本当によかった」

「いつか、同じようにかわいいイヌが見つかるかもしれない」

ホッとして気持ちが楽になる考え方を見つけたら、しばらくはその考えを繰り返し、同じような考え方を探すといい。この流れに乗る考え方を探すプロセスは、別に誰がいちばん速く最も下流に到達するかという競争ではない。自分で自分の気持ちを少しずつ楽にしていけばいい。時間をかけて気持ちが楽になる考え方を探し、そうだ、自分は本当に気持ちが楽になっていると気づけば、それはとても大きな成果だ。

「まだ、別のイヌを飼う時期ではないと思う」

「子イヌを飼うと暮らしがすっかり変わる」

「あのイヌが子イヌだったころのことをよく覚えている」

「何週間かは毎日のように、『もといたところに返すぞ』と脅したっけ」

「するときっとわたしを見上げて『本気じゃないよね』という表情をした」

「わたしはつい笑ってしまい『もちろん本気じゃないよ』と答えてやった」

「初めのころはトラブルが多かった。それにとても楽しかった」


あなたはまだ出かけて別の子イヌを探そうという気にはなっていないかもしれないが、数分前よりはずっと気持ちが明るくなっているだろう。わたしたちは、別のイヌを飼ったほうがいいとか飼わないほうがいいとか、勧めるつもりはない。大切なのは、あなたの本来の状態である明るい前向きな気持ちに戻ることだから。


「別のイヌを知るのも楽しいだろうな」

「前のイヌと似たような性格のイヌが見つかるかもしれない」

「前のイヌが子イヌだったころのことを思い出してみなくちゃ」

「あのイヌはなんにでも興味を持ったっけ。そしていつでもうれしそうだった」

「そんな子イヌを飼うのも悪くないかもしれない」

「そうだ、別のイヌを飼うことを考えてみよう」

事例33 無条件の愛という贈り物

息子がゲイだったなんて

質問

「息子は去年大学に進学して家を離れましたが、この間、夏休みに戻って来たとき、夫とわたしに自分はゲイだと告白し、大学で出会った彼と同棲を始めたと言いました。

彼のその言葉を聞いてから数週間たちます。一人息子が孫を授けてくれないのかと思うと、信じられないくらい悲しかったのですが、わたしはなんとか立ち直りました。ところが夫は怒り狂っています。大学なんかに行かなければ、そしてその彼に出会わなければ、息子は決してこんなことにはならなかったと思い込んでいます。夫の怒りを見ていると（彼が息子をとても愛していることはわたしも知っています）、息子が世間からどんな仕打ちを受けるのかと恐ろしくなります」

どの親にとっても、子どもが自分とは違う人生観を持っていると気づくのはかなりつらいことだ。そしてほとんどの親は、一生懸命に生きてきた経験から、物事に対する自分たちの見方や結論が正しいと信じ、それを子どもたちに伝えようと躍起になる。

わたしたちに一つだけ親に教えてあげられることが――素晴らしい親子関係を維持し、不可能なことを試みる努力から親子ともども解放されることが――あるとすれば、こういうことだろう。**あなたの子どもたちはあなたではないし、あなたになるために生まれてきたのでもない。あなたの子どもたちはこの物質世界という時空の現実に、自分自身の願望と計画を持って生まれてきたのだ。**

あなたの息子は大学でゲイになったのではないし、今ここで物質世界における世界観をもとにゲイになることを選んだのでもない。それはこの世界に誕生する以前、見えない世界における視点から「波動の預託口座」に貯えられていたことだ。

わたしたちはよく、自分はゲイだという人たちに尋ねられる。「どうしてわたしはこんなふうになることを選んだのだろう？　どうして周りのほとんどの人たちと違う世界観を持って生きることを選んだのだろう？　どうしてこんなにつらい生き方を選んだのだろう？」それに対して、わたしたちはこう答える。

あなたがたは見えない世界の透徹した視点から、物質世界に生まれて具体的に「ゲイ」になろうと宣言したのではない。そうではなくてあなたがたは、この物質世界の環境に生まれ出たあと、他人にとやかく言われても自分を曲げないぞという強い意志を持ってやってきたのだ。言い換えれば、これから生まれ出る環境では自分たちこそすべての答えを知っていると信じる人たち、自分の信念の正しさを認めろと偉そうに言う人たちに取り囲まれることがわかっていた。

そしてあなたがたはこの世界の身体に宿るにあたって、広やかな見えない世界の透徹した視点で、ちょっと変わった生き方をしようと考えた。その変わった生き方を周りの人たちは理解せず、あなたを変えさせたいと思う、だがあなたは自分を変えられない、そのような生き方だ。言い換えれば、多様性の重要さと、周りから変われと要求されてもそれは不可能だということを人々に理解させたいと思ったのだ。周りの人たちを喜ばせるためにあっちへ変わりこっちへ変わりしていたのでは、逆にまったく周りの人たちのためにならない——それではその人たちは、自分の思考の力が理解できたときにだけ得られる自由というものを決して発見できないから。

多くの人が無条件の愛という言葉を口にするが、生きるうえで実践する人はほとんどいない。それどころか、ネガティブな感情を起こさせる条件を目にすると、その条件を変えることを要求する。だがそんなことをしていると、自分の気持ちをよくするために他人をコントロールしようと試みて、結局は不愉快な長い道をたどることになる。

自分がいい気持ちになるのに他人をコントロールすることが必要なら、自分のコントロールが効く非常に狭い世界にしか生きられないし、その不可能な試みのために自分が持っている以上の時間とエネルギーを費やさなければならなくなる。

無条件の愛とはその言葉どおり、どんな条件であろうと関係なく愛に、そして「本当の自分に」つながっていることである……「自分の『内なる存在』が同意する思考に焦点を定め、前向きで明るい素晴らしい感情でいれば、わたしは愛というものと調和している。わたしが自分の愛の『源《ソース》』との結びつきを維持するために、息子やほかの誰かが変化する必要はまったくない」

そこであなたに理解してほしいのは、あなたの息子はこのうえなく愛情深い意図を持って、つまり無条件の愛という贈り物をあなたに与えるために、この世にやってきたということだ。この贈り物を受け取る以上に大きな喜びは人生に存在しないだろう。そして、それを拒否することほど大きな苦痛もまた存在しない。

だが、優しい女性であるあなたには、ほかに考慮しなければならないことが二つある。

①息子のことを夫が喜んでいない

②夫のことをあなたが喜んでいない

こう指摘したのは、あなたが息子に対する夫の態度を変えさせたり、息子の行動に影響を及ぼしたりできるからではない。あなたの力は、自分の「内なる存在」が同意する思考を見つけて、それがあなたのなかで優勢になるまで考え続けることにしかない。

どんなに大勢の人々があなたの息子を非難しようとも、あなたの「内なる存在」と「あなたのなかにある『源《ソース》』」はひたすらあなたの息子を賛美する。それはわたしたちが絶対的な確信をもって約束する。そして何があっても、あなたが夫を――あるいはあなたの息子の性的嗜好のために不幸になるかもしれない人々を――賛美できれば、あなたは「本当の自分」それに「自分のなかにある『源《ソース》』」と全面的に調和し、いっさいの抵抗から解放される。

そこで、今あなたがいるところから始めて、あなたの「内なる存在」が持つ透徹した地点に近づく努力をしてみよう。

「息子はこれからたくさんの悲哀を味わう生き方をしようとしている」
「息子がゲイでなければよかったと心から思う」
「夫は信じられないくらい頑固だし、今度のことを決して乗り越えられないのではないかと心配だ」

「幸せだったわたしたちの暮らしが壊れてしまったと感じる。わたしにはどうすることもできない」

「夫は理解しようという努力すらしない」

「息子だって自分ではどうしようもないのだ。夫はもっと理解があってもいいのに」

「夫が頑固なのは今始まったことではないが、今度のことはほかのすべてをひっくるめたより大事なのに」

「こんなことが起こったなんて、ぞっとする」


あなたの気持ちは無力感から怒りと非難へと変化した。これで、あなたは「内なる存在」と同じ流れに乗る方向へ向かったが、もっと先まで行かなくてはいけない。もっと気持ちが前向きになる考え方を探し続けよう。


「今度のことはあまり急で意外だった。時間がたてば、だんだん慣れていくだろう」

「こんなひどい気持ちがいつまでも続くはずはない」

「息子がゲイだということよりも、夫の反応のほうがわたしにはつらい」

「夫があんなふうに反応するのは、息子を非難するというよりも、息子がどんなつらい目にあうかが心配だからだろう」

「状況は時間とともにだんだんよくなっていくことだろう」

「きっとよくなっていくはずだ。わたしたちはみんな愛し合いたいと思っているのだから」

「このような状況で、家族の結びつきが強くなることもある」

「何があったって、わたしたちを結びつけている愛の絆が切れるはずはない」

「大げさに悲劇的に考えるのはやめて、気持ちを楽にしよう」

「わたしがあまり騒ぎ立てないように心がければ、もっと落ち着いた気持ちになれるだろう」

「夫は理性的な人だ」

「夫はもともと幸せで明るい人だ」

「今はちょっと横道にそれたけれど、わたしたちは幸せな家族だし、またもとのように幸福になれる」

「何もかもきっとうまくいく」

これであなたは「自分のなかにある『源《ソース》』」の感じ方にさらに近づいた。ここでその「源《ソース》」の見方を記しておこう。

あなたがたは皆、ソースエネルギーの延長だ。あなたがたは存在するすべての思考をどんどん減らして一握りのよい思考だけを残すつもりで、この物質世界の経験のなかへ入ってきたわけではない。あなたがたは「これから物質世界における生命の表現へと入っていき、あらゆる事柄について正しい生き方を探り、唯一完璧な生き方をすべての人に教えよう」などとは思わなかった。あなたがたにはさまざまな見方、志向、透徹した視点があり、そこからいつももっと改善された思考が流れ出ている。

あなたがたは限りなく多様な思考、状況、条件、出来事、関係、そしてあらゆることを探る楽しさを思ってワクワクしていた。なぜなら、この多様性こそが限りない創造的思考が流れ出る水源であることを理解していたから。あなたがたのなかで願望の火花が明るく輝けば、「あなたがた」である「源《ソース》」はその拡大した思考に集中的な関心を注ぎ、次にその思考があなたがたの未来でともる光となって、胸躍る体験をしにおいでと呼びかけることを、あなたがたは知っていた。

あなたがたは決して終了ということはなく、また間違いもあり得ないことを知っていた。終了することがないのだから、永遠なる調和の余地は常にある。そして、あなたがたは何よりも、あなたがたのなかにある「源《ソース》」、あなたがたがそこからやってきた「源《ソース》」、あなたがたに前進を呼びかける「源《ソース》」、あなたがたを見守るまなざしが決してそれることがない

「源《ソース》」——すべてであるものの「源《ソース》」——が、今もそして永遠に、無条件にあなたがたを愛していることを知っていた。

偉大なる愛があなたがたを包んでいる
エイブラハム

エイブラハム
ライブ!

「許容・可能にする術」のワークショップ

（この「許容・可能にする術」のワークショップは２００６年11月１日水曜日にフロリダ州タンパで行われた。ほかのテープやＣＤ、書籍、ビデオ、カタログ、ＤＶＤなどを入手したい方、あるいはエイブラハム－ヒックス「許容・可能にする術」ワークショップへの参加を申し込みたい方は、アメリカの（８３０）７５５－２２９９に電話するか、Abraham-Hicks Publications　P.O.Box 690070, San Antonio, Texas 78269 宛てに手紙で連絡してほしい。また、すぐにワークショップの様子を知りたい方はウェブサイト www.abraham-hicks.comでもご覧になれる）

◇あなたは拡大成長するソースエネルギー

おはようございます。皆さんをここにお迎えできて、大変うれしく思っています。共同創造のために集まるのはとてもいいことです、そう思われませんか？　それも実に最高の共同創造です。あなたがたはこの物質世界の身体に宿って、最先端の立場を楽しんでいますか？　あなたの願望の進化発展を高く評価していますか？　あなたがたが選んで生まれ出たこのコントラストに満ちた世界がとても役に立つと気づいていますか？　生命を与えるものとしてのコントラストを高く評価していますか？

いきなりちょっときついことを言ったのは、物質世界にいる友人たちは自分が住む世界のコントラストをあまり喜んでいないことが多いからです。多くの人々、とりわけ純粋で前向きなエネルギーから自分たちがやってきたことに気づいた人たちは、よくこんなふうに言います。「どうして望まないことがたくさんあるこんな環境に自分を投影してしまったのだろう。いったい、何を考えていたんだか」そして周りの環境を見回し、自分が好む事柄を見つけると、こう言います。「そう、これなら好きだ」しかし、また見回して好ましくないことを見つけると言うのです。「ああ、嫌だ、あれは望まない」そして、それに抵抗します。反対したり、押しやったり、それについて暗いネガティブな気持ちになったりします。多くの場合、異なる環境を切望するのです。「ほとんどいいことずくめの人間関係を、仕事を、あるいはマイホームや伴侶や環境を見つけさせてほしい。本当にいいことばかりに取り囲まれていれば、悪いことが混ざっているときよりも、ずっと明るい、いい気持ちでいられるのだから」と。

あなたがたに焦点を定める力がないのなら、その心配も理解できます。けれど、あなたがたは焦点を定めるという仕組みになっていて、自分が選んだ対象に関心を注ぐ力があるのです。だから、あなたがた本来の広やかな視点からすれば、選択肢のないビュッフェよりも、たくさんの選択肢があるビュッフェのほうがはるかにいいわけです。

あなたがたはまた、こんなふうに言ったりします。「しかし、エイブラハム、あなたがたは誤解している。自分が好きな食べ物ばかりのビュッフェ。それのどこがいけないんですか？」

しかし、それでは食べるものは絶対に改善されないでしょう。対照的なものを評価し、欲しいものと欲しくないものとを比べてみることができなければ、新しい結論は出せないし、そんなことになったら「宇宙」の拡大は止まってしまいます（でも心配はいりません。そういうことは決して起こりませんから）。

あなたがたは賢明にも、意図してこのコントラストが著しい環境に生まれてきたのです。

そして、見えない世界の広やかな視点からそれを強く望みました。なぜなら、その価値をよく知っていたからです。物質世界の友人たちを訪れるわたしたちは、あなたがたが焦点を合わせる能力を持っていることを忘れ、さらには自分の思考をどう方向づけていいかわからないでいるとき——言い換えれば、考えられることがたくさんあり、波動を通じ、また他人との交流を通じて投影できることがたくさんあるとき——考え得るすべての可能性を整理しようとするのはさぞかし大変だろう、と察しています。まったく頭が変になりそうだ、と思うでしょう。

だが、自分は何者なのかを思い出し、自分がやってきたもとの波動のあり方を思い出したとき、あなたがたは自分自身に合った方向に焦点を定めておくことがどんなに容易かを思い出すばかりでなく、広やかな視点からすればそれしかあり得ないことがわかるでしょう。あなたがたという「存在」は、拡大成長し続けます。そのあり方は永遠に続くのであり、それ以外にはないのです。それがあなたがたであり、今後もずっとそうなのです。それどころか、あなたがたは拡大を止めることは決してできない。それは確かなことです。

そこで、あなたがたはこの物質世界の身体に宿る前はソースエネルギーだったこと、物質世界の身体に宿っている今でもソースエネルギーであることを理解してもらうために、簡単に全体像について話しておこうと思います。ほとんどの人はそれをはっきりとは認識していません。だいたいはこう考えています。「今以前にも何かがあったのだったらいい」だろうし、それ以上に、このあとにも何かがあると思えればいいな」だが、見えない世界と物質世界の両方で同時に焦点を結んでいる存在、それがあなたがたであること、その両方の視点が常にあなたがたのなかの波動として活性化していることを理解している人はほとんどいません。あなたがたの状態は生きているか死んでいるか、ではありません。それどころか、あなたがたは決して「死なない」。あなたがたはいつまでも生きて、生きて、生き続けるのです。

つまり、あなたがたは見えない世界からやってきて、この物質世界の身体として焦点を結んだ。そしてさまざまなものに関心を向けることによって、自分のなかでさまざまな周波数の波動を活性化させます。今関心を向けた結果として活性化された周波数、それがあなたがたのなかの「源《ソース》」の視点から波動としてフィードバックされてきます。

例えば、あなたが鏡を見てそこに映る自分を軽蔑し（自分が好きでない、価値がない、有能でない、後ろめたい、「まだ十分じゃない」と感じ）、自分は「ダメな人間」だ、「悪い人間」だと暗いネガティブな気持ちになって、さらには「自責の念」にかられたとします。そのようなネガティブな気持ちになる理由は、自分に関する今の「あなた」の見方が、自分に関するあなたの「源《ソース》」の透徹した見方とあまりにも違うことにあるのです。

あなたが鏡を見てそこに映る自分に誇りを感じ、あるいは何かに熱意を覚え、自分が好きだと思い、自分に満足するとき、その気持ちがとても明るくて前向きであるのは、あなたが自分を常に賛美している「源《ソース》」と同じ波長の波動を出しているからなのです。

誰かを見ているときも、同じことがあてはまります。**暗いネガティブな気持ちになるときはいつも――その気持ちをなんとよぼうと、またその気持ちが激しくてもそう激しくなくても――必ずただ一つのことを意味しています。人間としてのあなたが「源《ソース》」の見方から外れた見方をしている、ということです。**

ここを理解できればしめたものです。なぜなら、そこが意識的に見分けられるというのは、本当の意味で、つまりリアルタイムで一瞬一瞬に、意識して自分自身の「ナビゲーションシステム」を起動させている、ということだからです。そうすれば、いつでも自分の居場所がわかり、広やかな視点との位置関係がわかります。これはあなたがたにとってとても価値のあることです。その広やかな視点とは、今までのあなたの集積だからです。その広やかな視点とは、最も発展進化した形の「永遠であるあなた」だからです。

◇創造の始まり

では、全体像に戻りましょう。あなたがたは「ソースエネルギー」で、この物質世界の身体に関心の一部を投影しました。そうやってこの物質世界の身体として、今人生を経験しているわけです。あなたがたは自分が何を「望まない」かを知っているし、何を「望む」かを知っている。そうやって毎日いつも、願望のロケットというか、好みや選択を発射し続けています。はっきりと口に出しても出さなくても、そうなのです。

言い換えれば、誰かに失礼な態度をとられれば、もっと丁寧にしてくれればいいと願うし、自分が誰かに失礼な態度をとったら、もっと丁寧にすればよかったと思うのです。気分がよくなければ、もっといい気分になりたいと思う。病気になれば、元気になりたいと思う。何か欲しいものに不自由したら、もっと欲しいと思う。言い換えれば、人生はあなたがたに常に新しい結論を出させるように仕向けていて、例外なくあなたがたすべてがそうやって新しい結論を出し続けている。たとえ単細胞の生物であっても、です。そしてあらゆる種の成長拡大は、つまり存在するすべての成長拡大は、この経験の結果なのです。

しかし、このあたりがほとんどの人にとってはどうも難しいようです（少なくとも、あまり上手に思考を操れずにいます）。あなたがたはソースエネルギーです。あなたがたは物質世界に宿っています。そして、この物質世界の身体として、新しい思考を生み出しています。そこで、ここをよく聞いてください。あなたがたのソースエネルギーである部分は、願望のロケットに乗って飛んで行き、「波動として」あなたがたの願望を実現するのです。

こう言われても、それにどんな意味があるのかよくわからないかもしれません。あなたがたは既に現実化した世界を「見ている」からです。あなたがたが今周りに見ているような世界があるのは、あるときそれが考えられ、次にそれが「思考の形」となり、そして今見ているような物質として現実化したからです。

そこで、あなたがたがある願望を持った瞬間に、あなたがたの「内なる存在」は「波動として」その願望の対象そのものになると言っても、それがどうしたと思うかもしれません。しかし、もしわたしたちがあなたがたの立場なら、すごく興奮するでしょう。なぜなら、それこそがあなたがたが求めるものの創造の始まりだからです。創造の物語のなかでも非常に重要な部分です。あなたがたが自分の現実をどう創造するかというとても重要な部分だからこそ、わたしたちはそれについて本を書き、思いつく限り最善の題名をつけました。「求めれば与えられる（Ask and It is Given）（邦題：『運命が好転する 実践スピリチュアル・トレーニング』）」という題名です。この題名は気に入っているのですが、それは本の内容をすべて表しているからです。求めれば与えられるのです。

実はもっと長い題名を考えていたのですが、出版社にそれはやめたほうがいいと断られました。わたしたちが考えていた題名はこういうものです。「わたしは見えない世界のエネルギーで、その意識の一部を物質世界の形として投影する。そして物質世界の身体に宿り、生きて人生を経験しつつ、常に自分の人生の成否を判断し、常に願望のロケットを生み出し続ける。願望のロケットが生まれると、わたしの見えない世界の部分がその願望に応えるだけでなく——願うものを与えてくれるだけでなく——文字どおりそれと同じ波動になる」これでは長すぎるといわれました。しかし、求めれば与えられる、というのは、これと同じ意味なのです。

◇思考の癖

人生で何かを求めると、「源《ソース》」はそれを「与えてくれる」だけでなく、そのものに「なる」のです。これを聞いた皆さんは、今、自分のなかにある「ナビゲーションシステム」のキーを手に入れました。この二つの波動の関係はいつも、皆さんが「源《ソース》」の周波数に同調しているかどうかを教えてくれるからです。わたしたちがさきほど言ったことを思い出していただければ、これがどんなに重要なことか、おわかりでしょう。人生は皆さんに、「これをもっと欲しい」と、「これをもっとよくしたい」と思わせます。言い換えれば、皆さんはこの物質世界の身体に宿る前から（そして生まれ出てからはさらに熱心に）、自分の人生経験という絵を少しずつ描き込んできたのです。そうやって、皆さんは既に存在しているこの強力な「最先端の存在」の創造をさらに行っています。そして「源《ソース》」はそこで、「源《ソース》」として存在し、脈打っています。「引き寄せの法則」はその「存在」の波動の状態に反応するのです（おわかりになりますか？）。「引き寄せの法則」は拡大成長したバージョンに皆さんを呼び寄せている、これが「生命力」です！　これがインスピレーションです！　これが「生命の川の流れ」です！　「源《ソース》」の呼び声です！　別の言い方をすれば、自分がなぜある方向へ行かなくてはならないと感じるのか、そちらへ行こうと思うのか、その理由を感じ取れますか、ということです。それは生命が皆さんに、生きることを通じて文字どおりもっと拡大成長し、豊かになるように仕向けているのです。今、皆さんはその拡大成長したバージョンの自分に「ならなければならない」のです。

多くの人たちは「くたばって」からでないと、そうなれません。くたばる、なかなかおもしろい言葉ですね（わたしたちは「死」という考え方に全然敬意を払いません。死なんてものはないからです）。ときには、生きているうちにこの拡大成長したバージョンの自分になることもありますが、たいていは自分が望む場所に行くよりも「現状」というドラムを叩き続け、自分の拡大成長を邪魔しているのです。しかも、その間、とてもひどい気分でいます。けれども死ねばギャップは埋まります。ここで覚えておいていただきたいのは、死などというものはないが、あなたがたが死とよんでいる体験をするとき、皆さんは自分の思考の癖を手放すということです。その思考の癖こそが、せっかく人生がそう仕向けてくれている拡大成長した自分になることを妨げているのです。

さて、わたしたちはこの集まりを「許容・可能にする術」ワークショップとよんでいますが、これは本当はギャップを縮める術なのです。「自分自身が物質世界の人間という形のままで、人生が仕向けてくれている拡大成長した自分になることを『許容・可能にする術』。抵抗を捨て、世界を創造しているエネルギーが自分のなかを流れることを『許容・可能にする術』。生まれる前の自分だけでなく、その後にずっと成長拡大してきた自分と波動を合わせる術。自分が常にそうなりつつある『純粋で前向きなエネルギーという存在』と波動を合わせる術です」（おわかりになりましたか？）

そこで、皆さんが満たされないと感じるとき、つまり十分でない、満足できないと感じるとき、それはただ皆さんが「拡大成長したバージョンの自分」のスピードに追いついていないことを意味しています。

今、皆さんは本当の自分についての話を聞きました。**そこで、この生命のサイクルの物**

語を十分に理解していただきたいのです。皆さんは見えない世界から物質世界へやってきて、ここで新しい思考を生み出す、そして皆さんの見えない世界の部分がその思考を実現する、それが生命のサイクルです。「引き寄せの法則」を中心に動いているこのサイクルがわかれば、皆さんは自分という「存在」が永遠であることも理解できるようになります。

わたしたちはみな「永遠なる存在」で、皆さんは「最先端」にいて新たな拡大成長を生み出しています。「源《ソース》」は即座に皆さんが生み出した拡大成長になるのです（すごいでしょう？）。すべてを見通す地点にいるわたしたちに言わせれば、実に素晴らしいことです。皆さんもそのスピードに同調すれば、やっぱり素晴らしいと思いますよ。しかし、人生が何者かになるように仕向けてくれたのに、理由はどうあれ、そうなろうとしなかったら、それは大変なことになります。

◇上流に行くか、下流に行くか

川べりにカヌーを運んで、急流に浮かべるところを想像してください。カヌーにはオールがついていて、皆さんはわざわざカヌーを上流に向けて、流れに逆らって一生懸命に漕ぎ始めます。わたしたちに言わせれば、どうして方向を変えて流れに乗らないか、というところです。どうして流れに運んでもらわないのでしょうか?

するとたいていの人は言います。「実は、そんなことは考えたこともなかった。だってそれなりのことを成し遂げたいと言う人たちはみんな、もっと一生懸命に努力しているんだよ。流れに乗るなんて、怠けているみたいじゃないか」(おもしろいですよね)

「だから、こっちの方向に決めたんだ」と皆さんは言う。「これはとてもいいカヌーだし、オールもよくできている。船べりにしっかりとはまっているだろう? 手袋もした。腕だって鍛えてある。それに、意志も固いしね。意志の固さは母親譲りだ(おかしいでしょ)。母親はそのまた母親譲りでね。みんな、こうやっている。われわれはがんばり屋なんだよ」

そこで、わたしたちは言います。「しかし、そうやっていつまでがんばれるだろうね?」

すると、あなたがたは言うのです。「死が二人を分かつまで、って言うじゃないか。いや、自分にもいつまでかわからないが、しかしご褒美はみんな、報酬も地位も記念碑も本当にがんばり続ける者に与えられるんだ(おもしろいですよね)。自分もいつかはそうなりたいんだよ」それから皆さんはよく、ものすごくがんばった者には死後にもっと大きな褒美が与えられると聞いているとも言いますね(おもしろいですよね)。

そうやって、皆さんは躍起になって流れに逆らって漕ぐのが正しいと主張し、わたしたちは常に愛情深くその言葉を聞いています。皆さんの見方も理解できるからです。しかし、やがては話をさえぎり、わたしたちがぜひとも皆さんに聞いてもらいたいと願うことを言わなければなりません。「上流にはあなたがたが望むものは何もない。上流にはあなたがたが望むものはいっさいない」と。

どうしてわたしたちがそれを知っているか、わかりますか？　わたしたちはサイクルを知っているからです。生まれる前のあなたがたが何者だったかを知っている。人生がどうやってあなたがたに願望のロケットを発射するように仕向けるかを知っている。あなたがたのなかにある「源《ソース》」が、あなたがたが求めるものと同じ波動になることを知っているし、「引き寄せの法則」がその脈打つ力強い波動に応えることを知っている。そして、それが「流れ」を引き起こすことを知っているのです。

ある女性が少し前にこんなことを言いました（彼女は子どもたちとランチに行き、そのあとまたセミナーに戻ってきて、質疑応答の最初で指名されたのです）……「聞いてくださいと子どもに頼まれました。『大人って、どうしてあんなに不機嫌なの？』って」そこでわたしたちは答えました。「長く生きれば生きるほど、望まないことを目にして『ノー』と叫ぶことが多くなる、そして『ノー』と叫べば叫ぶほど、流れに逆らうことになるからですよ」と。

◇人生は止まることのない川

ジェリーとエスターは数週間前、コロラド州の素晴らしい川で急流を下るという愉快な体験をしました。そこは非常に流れが速く、グレード4という相当な急流でした。ほかの人々と一緒にいかだをバスの上に載せて渓谷を北上し、現地まで行ったのですが、川が見えてきたとき、ジェリーとエスターは何度も「わたしたち、頭がどうかしてるに違いないわね」と言い合ったくらいです。

実に荒々しい川でした。川は大きな岩にぶつかり、橋を回り込んで高い水しぶきを上げています。そこへいかだを下ろすとき（二人は六人の友人と一緒で、ほかにもたくさんのいかだが出ていました。いかだは同じ河川会社のもので、来ていたのは高校のレスリングチームの選手でした。旅行に誘ってくれた友人はその朝、家を出るとき娘さんに「自分がいくつだか、観光会社の人に話したの?」と聞かれたそうです）……そこへいかだを下ろすとき、この川を上流に向かって漕ぐなんてまったく正気の沙汰ではない、ということがすぐにわかりました。流れに逆らおうなんて、一行は考えてもみませんでした。流れにさらわれてしまうことは、一目瞭然だったからです。

いかだ乗りの説明をしながら、ガイドはこう言いました。「皆さん、ここはディズニーランドじゃないし、スイッチを切って流れを止めることもできませんからね」彼がそう言ったのは、川の威力をよく知っていたからです。彼は川の力を知っていました。頭を出しているいくつもの大きな岩を指差して、彼は言いました。「いかだがあそこにぶつかったら、大変なことになります。川は容赦ないですからね」それから彼は客に署名をさせた誓約書の5ページ目の第3節を読んでくださいと言いました。そこには、そんな事態になったら生存の可能性はほとんどないことが記されていたのです（おもしろいでしょう）。エスターはそこを読むのを拒否しました。最初の部分だけ読んで、「あなたの言うことを信じるわ」とガイドに言ったのです。

このお話をしたのは、「あなたがたの」川も同じだということを理解してほしいからです。その川を止めることはできない。その川はあなたがたがこの物質世界の身体に宿る以前から流れていて、あなたがたが長く生きれば生きるほど、川の流れは速くなります。あなたがたは何か体験をするたびに、何かを願うからです。そしてあなたがたが何かを願うたびに、「源《ソース》」はその何かになります。そして「源《ソース》」の部分が何かになるたびに、「引き寄せの法則」がそれに反応します。「引き寄せの法則」が反応するたびに（それが「なりゆく」というプロセスです）あなたがたの川の流れは速くなるのです。

皆さんは4歳のとき、5歳のとき、10歳のとき、15歳のとき、20歳のとき、同じネガティブな思考をするかもしれません――何かについて同じネガティブな姿勢をとるかもしれず、その姿勢は全然変わらないかもしれない――しかし10年後、15年後、20年後、30年後、40年後、50年後、60年後には、そのまったく変わらないネガティブな姿勢がはるかに大きな影響をあなたがたに及ぼします。それは「川の流れ」が速くなっているからです。さらに「引き寄せの法則」が働くので、静止していることは何もありません。常に変化しています。だから、あなたがたが望まないことのドラムを叩き続けていると、あなたがたのなかでその「波動」はどんどん強くなっていき、同時にあなたがたが引き寄せる力もどんどん強くなっていきます。

そういうわけで、あなたがたが「川の流れ」を速くしているのです。そして今の例で言えば、同時にあなたがたは川の流れに乗ることを拒否しているわけです。それが「暗いネガティブな感情」です。それが「暗いネガティブな感覚」です。それが「楽でない状態(dis-ease)」、つまり病気(disease)です。

子どもでも病気になるのは、人生のなかで何かを望んだのに、それが可能ではないと思い込むときです。言い換えれば、無力でどうしようもないと感じたとき、そしてそれが自分にとって非常に重要なことのとき、そして「自分は望みをかなえられない」と信じたとき、皆さんは自分を不可能な状況に追い込むのです。皆さんのなかでエネルギーの綱引きが始まる、これは皆さんにとってよくない状態です。

◇オールを手放すだけでいい

しかし、朗報があります。**自分がどこにいようと、それは関係ない、ということです。いつ、どこでも、向きを変えて流れに乗ることはできます。いつ、どこでも、です。それどころか、向きを変えて流れに乗る必要すらない。ただオールを手放せばいいのです。あとは流れがやってくれます。**

ときどきあなたがたは、わたしたちが明るい前向きな感情について、感謝や愛や喜びや情熱について、それにありとあらゆる明るい前向きな感情について述べたてる言葉に耳を傾け、「そうか、それならどんなことをしてでも、どんな代償を払ってでもボートを方向転換し、ぶるるるるると発動機をかけて、できるだけ早く明るい前向きな感情に行きつかなければならない」と考えます。

もちろんわたしたちは、どんどん気持ちが明るく前向きになる下流に向かってほしい、と思います。だが「川の威力」を知っていますから、急ぐ必要は全然ないと、わたしたちは言うのです。**ただ流れに逆らっている今の行動をやめる、それだけでいい。**あとは「流れ」が向きを変えて、あなたがたを運んでくれます。

それにまた、わたしたちはあなたがたには選択肢がないことも知っています。何かが起こったとき（あなたがたの愛する誰かに何かが起こる、あるいはあなたがた自身に何かが起こる。あなたがたが何かを望んで、どうすればそれを達成できるかわからず、うつになったり、憤激したり、怒ったり、そのほかいろいろな暗いネガティブな感情を経験する。それを不安とか恐怖とよんでもよばなくても）、暗いネガティブな気持ちでいたら、いきなりボートの向きを変えて全速力で明るい前向きな気持ちのところへ行こうと思っても、それはできないのです。それはできない。それにそんな必要もありません。あなたがたがしなければならないのは、上流に向かって漕ぐのをやめること、それだけです。あとは流れが運んでくれます。

◇大切なのはホッとして気持ちが楽になること

そこで、あなたがたにとっていちばん大切な感情を敏感に感じ取れるようになってほしいのです（それは「絶望」や「悲しみ」や「恐怖」から「復讐」や「憤激」や「怒り」、そして「欲求不満」「困惑」「悲観主義」、それから「希望」「楽観主義」「信念」「知恵」「愛情」「喜び」といろいろなよび名があります）。ほかにも「感情のスケール」のどこかの場所にあてはまる言葉はたくさんあります。しかし、あなたがたが自分という「存在」の感情的な状態にあてはめる必要がある言葉はたった一つです。その感情こそ、あなたがたに日々毎日、ボートがどんな場所にあっても、求めてほしいものなのです。その感情とは、「ホッとして気持ちが楽になる」です。

「絶望」や「恐怖」を感じているとき（この二つは非常によく似ています）、そして少しでも「絶望」や「恐怖」を和らげたいと努力するとき、あなたがたは「復讐」という感情を見つける。これも「ホッとして気持ちが楽になる」です。人はこういうことは聞きたがらないし、特にあなたがたと一緒に暮らしている人はそうでしょう。そういう人たちはあなたがうつだと言えば、元気になってほしいと思う。そのほうが問題が少ないからです（おもしろいですね）。だが、「恐れ」ていたり「絶望」していたら、「復讐」を思うと**ホッとして気持ちが楽になった**と感じるのです。

しかし、そこで立ち止まって復讐のドラムを叩きなさいというのではありません。「川」は流れ続けているので、すぐに「復讐」は上流になります（これは興味深い考え方だとは思われませんか?）。あなたは失望している。その失望の原因になった考え方を手放します。すると「流れ」はあなたの向きを変え、あなたはホッとして気持ちが楽になります。しかし、あなたが流れの方向を向かないで、向きを変え続けると、「川」は向きを変えなさい、変

えなさい、変えなさい、変えなさい、と要求し続けます。だから「復讐」から「怒り」へと変われば、あなたはまたホッとして気持ちが楽になります。「怒り」から「欲求不満」へと変われば、またホッとして気持ちが楽になるし、「欲求不満」から「希望」へと変われば、またホッとして気持ちが楽になります（この感じがつかめましたか？）。

◇がんばって漕がない

だから、向きを変えて下流に漕いでいこうとは思わないことです。なぜなら、何かが起こってほしいと思い、でもどうすればそうなるかわからないとき、オールを握り締めて下流に向かって漕ごうとすると、必ず上流に向かってしまうからです。

人は「癒し」の効果を上げようとする。そうすると必ず上流へ向かいます。何か「いいこと」が起こるようにしようとする。これも上流へ向かいます。「目標を定めよう」と言う。これも上流へ向かってしまいます。なぜなら、「なんとかしようとする」姿勢、これは常に「流れに逆らう」結果になるからです。ただ流れに任せているのとはまったく違います。「それは降参することだ」と言われるかもしれない。わたしたちは、願望をあきらめることとは言いません……そんなことは不可能だからです。あなたがたの願望は「永遠」なのです。あなたがたは、これまで拡大成長してきた自分より小さくなることはできない。生きていて、ということはもっと多くを望むように仕向けられて、それから「もうどうでもいいや」と言うことはできない。それはできません。願望を修正していくことはできますが、しかし常に拡大成長し続けるのです。あなたがたの「川」の流れはますます速くなっていきます。そして、わたしたちはあなたがたをとても愛しているけれど、**もっと明るい前向きな気持ちになりたいと思えば、あなたがたには流れに乗るという選択肢しかないのです。**

あなたがたの一人が「くたばる」のを見るとウキウキします。なぜなら、「くたばる」ときには、あなたがたはオールを手放すからです。そのあとの川下りがどれほど素晴らしいか。あなたがたは即座に純粋で前向きなエネルギーと再合体し、余すところなく生命がそうなるように仕向けた自分になるのです。わたしたちがこうしてあなたがたのもとを訪れているのは、あなたがたが物質世界の身体に宿っている間に「本当の自分」に追いつければどんなに楽しいだろうと思うからです。未来の世代はあなたがたの生き方によって大きな恩恵を受けるでしょう。言い換えれば、あなたがたはコントラスト著しい世界を生き、戦争を目にして戦争がなければよいと思う。幸福を願う。飢えている人々を見て、その人たちが食べ物に不自由しないことを願う。近所で、国で、世界で、あるいは家庭内で起こることを体験し、それを生きることで、常に願望のロケットを生み出す。あなたがたとあなたがたの人生経験は、「永遠になりゆく状態」にあるのです。そのことをあなたがたのほとんどは考えていない。あなたがたはこの波動の状態からやってきて、物質世界の経験へと生まれ出たのです（おわかりですか？）。

だから、生まれた赤ん坊はすぐにケーブルに対応できる（おもしろいでしょう）。だから、彼らはインターネットを理解できる。だから、新しい仕掛けを理解できる。彼らはすべてであるものの「最先端のエネルギー」から生まれてきたのです。彼らには抵抗はない。それが「ジェネレーションギャップ」というものです。実際にはジェネレーションギャップではなく、エネルギーギャップです。抵抗のギャップです。そして「引き寄せの法則」とは、どうやって「本当の自分」と同調し続けるかを理解することです。自分が「本当の自分」と同調することを「許容・可能に」すれば、人生はどれほど素晴らしいものになるかわかりません！

ジェリーとエスターが、川下りのガイドにこんなふうに言うところを想像できますか。

「このいかだに乗っていると、どこへ着くんでしょう？」

ガイドは言うでしょう。「ああ、何マイルも下流のフォート・コリンズの近くですよ」

するとエスターが言う。「それじゃ、いい考えがあります。いかだをバスに戻して、バスでそこへ行きましょう。そして目的地から数百フィート離れたところにいかだを浮かべればいい。そうしたら、たちまち目的地に着くじゃありませんか」

ガイドは言いますね。「何を言っているんだか。奥さん、頭が変なんじゃありませんか(おかしいですよね)。だって、あなたがたは川下りをしに来たんでしょう?」

わたしたちも同じことを皆さんに言いたいのです。あなたがたは川下りがしたかったんでしょう? するとあなたがたは言う。「川下りはしたいけれど、欲しいものなしに10年、20年、30年、40年、50年と過ごすのは嫌なんです。願いを実現するまで、どれくらい待たなくちゃいけないんですか?」わたしたちは答えます。「流れに乗りさえすれば、ほとんど待たなくていい。しかし、流れに逆らっていれば永遠に待たされます」と。

◇ギャップを埋めること

ただし、「永遠」ではありません。この人生経験のなかでは永遠に、ということです。言い換えれば、一生懸命に努力すれば、既になっている自分と今の自分を引き離しておくことはできる。そのためにはオンラインサポート・グループに参加する必要があるかもしれませんね(おかしいでしょ)。なかでも、オールを手放さないようにと強力に勧めてくれるグループに入らなくてはならないでしょうね。眠っている間に何が起こると思いますか？ あなたのカヌーは向きを変えます……あーあ。目覚めたあなたは、また漕いで、漕いで、漕ぎまくる。そして眠りにつく……あーあ。また目覚める。また漕いで、漕いで、漕ぎまくる（おかしいでしょ）。

要するに、あなたがたは純粋で前向きなエネルギーなのです。あなたがたは「川」であり、それからちっちゃな赤ん坊の身体のなかに生まれた。生まれた瞬間に、もう母親はあなたのことを心配している。そこで波動が少し分裂します。眠ると、そのギャップは縮まる。目覚めると、少しギャップができる。そして長く生きれば、たいていは心配したり騒いだりすることが増えて、「本当の自分」と今の自分とのギャップがだんだん大きくなっていく。

それからあなたがたは成長し、人生経験をもっといいものにしたいと願う。そこでセミナーに通い、瞑想を教わる。心を鎮めることを学ぶ。心が鎮まると思考が止まります。思考が止まれば、「抵抗」の思考も止まる。だからギャップが縮まります。それから瞑想を終え、誰かを見つけて批判する……するとギャップが広がります。誰か素晴らしいと思う人を見る……ギャップが縮まります。うまくいかないことを探す……ギャップは広がります。順調なことを探す……ギャップは縮まります。言い換えれば、高く評価することが重なれば常にギャップは縮まり、うまくいかないことを探せば常にギャップは広がります。だから日々、毎日、どんな思考プロセスを経験しているかで、ギャップは広がったり縮んだりし続けているわけです。

「許容・可能にする術」とは、自分の感じ方に関心を向けて、それによって自分と「本当の自分」のギャップに気づく。そして、暗いネガティブな思考を手放すことで、少しでも抵抗の少ない考え方のほうへ意図的に自分を誘導することです。別に強烈に前向きな思考の嵐を起こす必要はありません。ただ嫌なことや心配なことをしゃべるのはやめる、それでいいのです。

◇ホッとする考えを選ぶ

ジェリーとエスターは大きなバスを使っています。全長14メートル近くあるバスで、たいていはエスターが運転し、ジェリーは後ろのほうで何かしています。プロジェクトに取り組んだり、ビデオを見たり、何かを眺めたり、いろいろです。同じバスでもあまり遠くにいるので、エスターがジェリーに話したいと思うと、クラクションを鳴らします。ところが、クラクションを鳴らしても聞こえないことがある。きっとほかのドライバーは、びっくりして藪に逃げ込むでしょうね（冗談ですよ）。でも、ヘッドフォンをつけたりしていると、ジェリーには聞こえない。

そこでエスターは、運転席のボタンを押します。するとバスのなかの照明が一斉につきます。またボタンを押す。今度は照明が一斉に消えます。ジェリーは照明が一斉についてから消えると、「あ、エスターは話したいことがあるんだな」と思うわけです。

ジェリーはやりかけていたことを片づけ、はるばる運転席まで行きます。そして助手席に腰を下ろして、「何か話したいことがあるんだね?」と言うのです。するとエスターは答えます。「ああ、もういいのよ。あれは流れに逆らう考えだったから」（おかしいでしょう）

ジェリーがエスターのそばへ行くまで時間がかかるのは、とてもいいことだと思われませんか?　もしすぐ隣に座っていたら、エスターは思ったことを即座に口にしたでしょう。ジェリーがそれに同意すれば、事態はさらに悪くなります。反対しても、エスターはますます頑固に言い募るかもしれません。言い換えれば、いったん調和の破れたことを口にすると、誰かが賛成すればしたで拡大し、反対されれば自分が言ったことは正しいとますます頑固に思い込むのです。さらに言葉を変えれば、流れに逆らう考えを口にしてしまうと、ますます必死に上流に向かって漕ぐことになる。けれど、その前に立ち止まって十数えて考えてみればいいのです。「これは流れに逆らう考えか、それとも流れに乗る考えか?」「これはわたしの『内なる存在』の考えか？　いやいや、そういうふうには感じられない」「わたしの『内なる存在』がもっと賛成してくれる考えはこっちかな？」こんなふうにしていると、やがて「源《ソース》」の呼びかけを常に感じ取れるようになります。耳を傾ける気になれば聞こえるのです。これにはちょっと練習がいりますし、それも一つひとつの事柄について練習が必要です。けれど、気がついてみたら自分という「存在」の波動に敏感になっていて、このナビゲーションシステムを自由自在に使いこなせるようになりますよ。

この世界のあらゆる考えや自分に浮かぶすべての考えを——あるいは部屋にいる、同じバスに乗っている、同じコミュニティにいる、同じ政党にいる、同じ教会にいる、同じこの世界にいるすべての人が思いつくすべての考えを——仕分けしようとしなくていいのです。すべての考えを流れに逆らっているか乗っているかと仕分けしようとしたら、頭がパンクしてしまいます。そんなことをしなくても、自分の「内なる存在」がすべてを知っていることを感じることができます。自分がどんな自分になっているのかを感じることができます。それを感じられれば、そしてその方向に同調すれば、身体が軽く楽になるのがわかるでしょう。

オールを手放した瞬間に、抵抗の大半は消えます（実際に流れに乗って願いがかなう下流に到着するのには、少し時間がかかるかもしれませんが）。オールを手放した瞬間に、病気の大半は（もし、病気であれば）消えます（これは冗談ではありませんよ）。**ホッとして気持ちが楽になること、それはあらゆる医学が探し求めている治癒です。**治ろうとするよりも、原因となる波動を探しましょう。原因が見つからなくたってかまいません。抵抗を引き起こしている思考が見つからなくてもいいのです。ただ抵抗を引き起こさない思考を見つける、それだけでいい。

皆さんは、すべてを仕分けする必要はありません。過去にさかのぼり、自分が歩いてきた道を振り返って、どこで道を間違えたのかと調べたりしなくてよろしい。ただ、ホッと気持ちが楽になる考え方を探す、それだけでいいのです。

先日、ジェリーとエスターはオーランドからボカ・ラトンに向かっていました。エスターはカーナビをセットしていました。ふいにジェリーが言ったのです。「どうも方向が間違っている気がする」

エスターはモニターを見て答えました。「ナビどおりに走っているのよ」

ジェリーが言います。「こっちのはずはないよ」

エスターが言います。「それじゃ、どこへ着くか様子を見ましょうよ」

二人はジェリーが間違っていると感じたほうへ高速道路を走り続けました。すると、州間道路4号線に出て少し進み、そこでユーターンしてまた高速道路に戻り、逆の方向に向かったのです。十分ほどの寄り道でした。ジェリーは笑いました。そういうことか、いや、おかしかったなあ、と思ったからです。

そこでエスターが言いました。「カーナビが狂ったのかしら。それともわたしが誤解して間違った入り口に入っちゃったので、カーナビがすぐに調整して、『あなたはここにいるから、こっちの道がベストだよ』って教えてくれたのかしらね」

それからエスターは急に知りたくてたまらなくなりました。「カーナビが狂っているのか、それともわたしが狂っているのかしら?」それでジェリーに言いました。「ねえ、こうしてみたらおもしろいんじゃないかな。もう一度引き返して走り直し、どこで間違ったか確認するのよ」

するとジェリーは答えました。「それとも、このまま進んでもいいよね」(おかしいですよね)

なんと新鮮な思いつきでしょう。今いるところから前進するんですか? 引き返したりせず、どこで間違ったかも確かめず? 引き返して誰が悪かったのかを調べたり、責めたりせず、ただ、今いるところから前進する? そう、わたしたちが皆さんに勧めたいのは、それなのです。

◇今いるところが、今いるところ

皆さんはどこかで川にカヌーを下ろす。おわかりですか？　**今いるところが、今いるところ**なんです。これはいい呪文ですね。今いるところが、今いるところ。もう一ついい呪文があります。**今いるところが、今いるところ、それでオッケー**。オッケーなだけじゃなく、それで十分なだけじゃなく、**オッケーにしなくちゃいけない、だってそれしかないんですから**。言い換えれば、皆さんには選択肢はありません。だから今の状態を受け入れたほうがいい。今いるところが、今いるところ、です（ほら、受け入れられましたね？）。

「今いるところが、今いるところ。それでオッケー」なぜ、オッケーなのでしょう？

「だって、今いるところが、今いるところだから。だからオッケーでなくちゃいけない。**ほかに選択肢はない。今いるところが、今いるところ**」

「わたしはここにいる。この『病気』という場所で川にカヌーを下ろした。あるいは『元気』という場所でカヌーを下ろした。『豊かさ』という場所で川にカヌーを下ろした。あるいは『何かが足りない』という場所でカヌーを下ろした。『離婚』のさなかで、『恐ろしい体験』のさなかで川にカヌーを下ろした。あるいは『愛』のまっただなかでカヌーを下ろした……わたしは川にカヌーを下ろしたが、どこで下ろそうと、どんなことがわたしに起こっていようとも、今いるところが、今いるところ。それでオッケー。オッケーになるはず、なぜならそれで十分なのだから」この調子でしばらくは続きますよ（おもしろいでしょ）。

この話を一日中でも続けたいくらいです。皆さんにこう言いたいからです。「今いるところが、今いるところ。それで十分。今いるところが、今いるところ。それで十分。大事な感情はたった一つ、それはホッとして気持ちが楽になることです。言い換えれば、たった今いるところが、今いるところ。それでオッケー。なぜならそれしかないから。わたしには素晴らしく力強い選択肢が一つある。川をさかのぼるか、流れに乗るか！」「少しだけ明るい前向きな気持ちになるか、少しだけ暗いネガティブな気持ちになるか。選択肢はそれだけ。でも、それで十分。なぜならどこにいても、わたしは流れに乗る考え方を探す。次にどこにいても、流れに乗る考え方を探す。その次にどこにいても、流れに乗る考え方を探す。さらに次にどこにいても、何が起ころうとも、わたしは流れに乗る考え方を探す」そうするとどうなるか、おわかりですか？　皆さんは流れに乗って下流へと向かうのです。

流れに乗り始めると、皆さんが願うものはすべて下流にあるので、望みどおりの状況や出来事が現れ始めます。今まで――ときにはとても長い間――待っていたあらゆることが

たちまち出現します。なぜなら願いが実現するのを妨げていたのはたった一つ、皆さんが上流に向かって漕ぎ続けていたことなのですから。

そこで本当に興味深いことはなんだかおわかりですか？　俯瞰しているわたしたちには何が見えると思われますか？（皆さんが「くたばった」とき、いちばん楽しいのはこの眺めです。少なくとも、最近こちらに来た人たちはみんなそう言っていますね）生命の「流れ」は素晴らしく、必ず皆さんが望むすべてへと皆さんを運んでいます。皆さんが下流へと向きを変えて早く流れに乗れば、それだけ早く願望が実現する場所に到着するのです。

皆さんの多くは下流に背中を向けている。上流を向いています。そして必死になって漕ぎ続けていますが、いくら皆さんが頑丈でも、「生命の幸せの川」はもっと強力ですから、いずれ皆さんの望みが実現するところへと運んでいきます。それが皆さんにはわかっていない。川は皆さんを正しい方向へ運ぶ。皆さんがチャンスを逃しているのは、波動を一致させていないからです。だから、皆さんには見えない。皆さんが信頼し期待してリラックスしていれば、本当に簡単なことなのです（どうですか、これでよくおわかりになったのではありませんか？）。

皆さんは強力な創造者で、偉大な理由があってこの世界にやって来た。皆さんは物質世界の身体として見えるよりも、はるかに大きな存在です。皆さんが今いるところでちょっとだけリラックスして、向きを変えて流れに乗れば、そう決意したその日にこの「川」のパワーを発見するでしょう。「川」のパワーと「引き寄せの法則」のパワー、**それに皆さんにどれほど大きな価値があるか、それから皆さんという「存在」が永遠であることを発見するでしょう。**

皆さんにとって、人生はとてもいいものです。とてもいいものと感じられるはずです。楽しいものと感じられるはずです。**人生はとてもいいものと感じられるはずなのです。**

◇コントラストのある世界

皆さんは決して戦うために来たのではなく、コントラストを求めてやってきたのです。コントラストから「川の流れ」のパワーが生まれるからです。コントラストがあるから、皆さんは「波動の預託口座」に願望を託します。コントラストがあるから、皆さんという「存在」が拡大します。

「それでは物質世界の身体に宿ったわたしは、どうやってそのコントラストから恩恵を受け、さらには『人生』がそう仕向けているという『存在』になることができるのか？　しっかりと目を開いて、起こることを恐れず、起こることを受け入れて、自分が望まないことを見たら望むことを知り、いつも自分の感じ方に気をつけ、できる限り明るい前向きな考え方を探すことによって」

そうしていれば、気がついたときには皆さんの人生のコントラストはそう激しいものではなくなっているでしょう。自分が望まないことを本当に知ったとき、望むことが本当にわかります。でも、そのときはまだ二つは大きく離れています。しかし、流れに乗って進んでいくと、望みに添ったことが起こり始めるので、コントラストはだんだんと穏やかになっていくのです。

◇願いがかなわないと流れは速くなる

ドラマチックな人生が好きだという人は、そういう穏やかなやり方はどうかなあと思うかもしれません。しかし、そのうちにコントラストが「これが好きなんだよ」と言っている場所に到達します、流れに乗って進んでいき、起こることを受け入れる。「これが好きなんだよ」流れに乗って進んでいき、起こることを受け入れる。「これが好きなんだよ……」

そんなふうに皆さんは願い、実現します。願い、実現する。願い、実現する（これはいつまでも続けることができます)。しかし、ときどきこんなふうになりますね。願う、実現しない。願う、実現しない。願う、実現しない。

「実現しない。実現しない。実現しない。実現しない。実現しない。実現しない。わたしも実現しない。あなたも実現しませんね。実現しないのが好きですか？やっぱり好きじゃないですよね？　わたしも好きじゃありません。あの人たちは実現している。わたしたちは実現していない。実現していない。『実現しないのに反対するグループ』というのに入らないといけませんよね。願いが実現しないのに反対するグループです」実現しなければしないほど、皆さんの願いは大きくなる。そして実現しないと言えば言うほど、願いは大きくなる。そこで皆さんの「流れ」のスピードはどんどん速くなります。

するとみなさんは言う。「いや、明るい前向きの気持ちにはとてもなれない」それは「あなたの人生がものすごい急流を作り出しているからだ」とわたしたちは言うのです。そして、あなたは「流れ」に乗ろうとしないグループに入った、だからあなたは自分を分裂させてしまったのです。

皆さんは言う。「わかっている。レントゲン写真を見ました……わかってるんです。血液検査もしました」それに対して、わたしたちは言います。「そんなのは放っておきなさい。明るい前向きの気持ちになれないことは放っておきなさい」そうすれば流れに乗れますよ。

ご存じですか。具体的に病気のことを考えるから病気になるのではないんです。いったん病気になると、病気のことを考えるので病気の状態が続きます。しかし、病気のことを考えたから、病気になるのではない。職場の誰かが嫌いだから、病気になるのです。満たされていないと感じるから、病気になるのです。誰かが25年前にあなたに反対し、あなたを裏切ったから、それ以来、あなたがそのことを毎日話し続けているから、病気になるのです。望まないことのドラムを叩き続けているから——だって、この世界はディズニーランドじゃないですからね——病気になる。誰も「川の流れ」を止めることはできません。あなただって止めたいとは思わない。それは「生命」の呼び声、「源《ソース》」の呼び声です。おわかりでしょう。

皆さんがどこにいても、向きを変えて流れに乗れるように、皆さんを助けてあげたいのです。望みの実現を唯一妨げている抵抗を捨てられるように、わたしたちが知っているすべてのコツや秘けつを教えてあげましょう。どんなことについてでも、今自分がいる場所といたい場所とのギャップを縮めたいと思うのであれば、わたしたちはいつでもあなたのところへ行ってあげます。

皆さんのあらゆる質問に対して、わたしたちは回答を持っています。あらゆる問題の解決策があります。あらゆる誤解を解くことができます。あらゆる混乱を明晰さに変えることができます。それは、わたしたちが魔法使いだからではありません。「法則」を知っているから、皆さんの不可避の性質を知っているから、「川の流れ」のパワーを知っているからです。そして皆さんの未来を見ているからです。

どうすればいいか、おわかりですね？　皆さんは自分自身の経験の創造者です、そうでしょう？　自分が物質世界の身体に宿ったソースエネルギーであることを知っている……そうですね？　この世界にやってきたのは、この「最先端」の環境で拡大するスリルを味わうため、そうですね？　そして自分が確かに拡大しているのを感じ取ることができるでしょう？「波動の預託口座」で未来のあなたが実現しているのを感じられますね？　そして、その未来のあなたは既に現実化しているのと同様にリアルであることがわかりますね？

このところをよくよく聞いていただきたいのです。皆さんが抱いた質問には既に答えが出ていること、皆さんはその答えのほうへ流れていけばいい、ということをわかってほしい。皆さんが直面しているジレンマはもう解決している。その解決のほうへ流れていけばいい、ということをわかってほしい。もう戦うのをやめる、それだけでいい。「川の流れ」のパワーを信頼し、自分という「存在」の価値を信じれば、それだけでいい。本当にそうなのですから。

この人生を生きることで拡大しようという具体的な意志を持ってこの「最先端」の環境に生まれてきたのだとわかることは、とてもうれしい、素晴らしいことだとは思いませんか？　しかもとても愉快なことだと（わたしたちはそう思います）。皆さんは愉快だとは思いませんか？（「くたばった」ときには、きっとそう思いますよ）　しかし、皆さんはいろんなことを騒ぎ立てたり心配したりして、それを口実に自分が当然そうなるはずの者になることに抵抗しています。

◇流されていけば夢はかなう

ある友人がこんなことを言いました。「エイブラハム、あなたがたはわたしの恋人が現れるかどうか気にしてないんでしょう。ただ、目の前に現れてもそれと気づかないほど、彼を上手にビジュアル化していればいい、と言うんじゃありませんか」わたしたちは答えました。「まさにそのとおり。あなたが彼を上手にビジュアル化すれば、彼がいなくても苦痛を感じないで済み、自分自身の夢と調和しますから、彼は必ず現れます。けれど、あなたが自分の夢と調和するまでは、どんなに努力して行動しても、そのギャップを埋めることはできません」

自分と調和していないときには、世界が自分に協力してくれないどころか、わざと意地悪しているように感じます。だが「本当の自分」と調和すれば、望みの実現を妨げるものは何もないと感じるでしょう。反対勢力などないのです。相反する意志などありません。競争相手もいません。あなたがなりたい自分になり、したいことをし、欲しいものを手に入れるのを邪魔するものはいっさいありません。欲しいものが欠けていることに関心を向けるあなた自身、それ以外に願いの実現を妨げるものは何もないのです。

あなたが努力すべきは、自分が欲しいものをくれるように誰かを説得することではありません。ただ、今いるところで、ホッとして楽な気持ちになるように努力すればいいのです。ホッとして気持ちが楽になることが上手になれば、流れに乗れます。そうすれば下流で待っていた願いの実現が次々とあなたの前に現れてくるから、周りの人たちはいったいあなたには何が起こったのかとびっくりするでしょう。

「あの人がちょっと願いを口にしたら、天地が総動員されてその願いを実現してくれるようだ」と言われるでしょう。「何が起ころうといつも感情のバランスを崩さない人だ」と言われるでしょう。「どんなに悲観的な状況でもいつも楽観的な人だ」と言われるでしょう。それどころか「能天気な楽天家」だと言われるかもしれない。しかし誰でも気づくのは、あなたの人生が素晴らしく順調だということでしょう。

あなたが長年望んでいた素晴らしいことが次々と実現するだけでなく、つい先週に口にした願いまでがどんどんかなうのを見て、周りの人たちは言うでしょう。「あなたの身にはいったい何が起こっているんだろう？」

そうしたら、こう説明すればいい。「『流れ』というものがあるんですよ……（おもしろいでしょう）。わたしはやっとそれに気づいて、自分の意図という流れに逆らってじたばたするのをやめたんです。ようやく『自分』と調和できたんですよ」

すると人々は言うでしょう。「それで望むことがすべてかなうんですか？」

あなたは答えます。「とんでもない。だって、毎日新しい夢が生まれるんですから」

それで人々は言います。「それじゃ、あなたはまだ満たされず、完成していないんですね？」

あなたは答えます。「そうですとも。そして、いつまでもそうでしょう。しかし、わたしは物事を終わらせるために生まれてきたのではない。夢を持ち、その夢に向かって進むために生まれてきたんです。ある女性を現実化するために来たのではない。彼女を望むために来たのです。彼女を望んでいると、それはいい気持ちです。彼女を望んでいればとてもいい気持ちで、しかし彼女が手に入らないと信じればとても嫌な気持ちになる。しかし彼女を望むこと、それがわたしの本当の望みです。彼女を見つけることももちろん素晴らしいでしょうが、しかし彼女を望むことは本当に素晴らしいんですよ」**信じて望むのは生命を与えることであり、疑って望むのは恐ろしいことです。**皆さんはこのどちらかを選べることがもうおわかりでしょう。

流れの先で皆さんを待っているものを思うと、わたしたちはワクワクして楽しくなります。わたしたちにはそれが見える。それはとても素晴らしいものです。流れに乗ってそちらへ進んでいけば、皆さんはきっと、最初はびっくり仰天するでしょう。しかし現実化が始まったら、そうなるのが当然だと感じて、きっとこう言うにちがいありません。「ああ、ここにあったのか。ここにあるとわかっていたんだ。そう感じたもの」

皆さんを偉大な愛が包んでいます。

そして今も、それからいつまでも、

わたしたちは幸福な未完了の状態に永遠にとどまるのです。

訳者あとがき

この本を手にとってくださったあなたは、もちろん「引き寄せの法則」をご存じだろう。もしご存じなくて、「たまたまこれが目に入ったんだよ」とおっしゃる方、おお、ラッキーでしたね。なんでも望みがかなう幸せな人生の法則を知らないのは、あまりにももったいないですもの。

前作『引き寄せの法則　エイブラハムとの対話』で、「見えない世界の賢者たちのグループ」であるエイブラハムは、宇宙を貫く三つの法則を教えてくれた。「すべてはそれ自身に似たものを引き寄せる」という「引き寄せの法則」、それから自分が望むことを実現する「意図的な創造の方法論」、そして自分の思いの現実化を促す「許容し可能にする術」である。すべては思考に始まる。最初は「波動」である思考が形としての考えになり、やがてそれが現実になる。わたしたちのなかである考えが浮かぶと、「引き寄せの法則」によってそれに似た考えが次々と引き寄せられ、勢いを増し、大きくなって、ついには物質世界の現実になる。何かを強く望んでいれば、あるいは強く忌避していれば、それに似た波動が引き寄せられてくる。

それなら望むことだけを一生懸命考えよう。そうすれば望みどおりになるはずだ。「引き寄せの法則」を知れば、もちろんそう考える。ところが、あるお坊さんの言葉によれば思考は光の17倍の速さを持っているという。そんな思考を次から次へと検閲して、自分に好ましい思考だけを選び出す。そんなことはとてもできない。それじゃ「引き寄せの法則」を知っても、幸せな人生に生かすことはできないではないか……。

いえいえ、心配はご無用。エイブラハムはいい方法を教えてくれる。それが「感情というナビゲーションシステム」だ。集中して、あるいはぼんやりと何かを考えているとき、自分がどんな気持ちになっているか。それだけに気をつければいい。何かを考えながら、暗いネガティブな気持ちになっていたら、その思考は自分のためにならない。例えば「お金に不自由しないようになりたいな」と考える。そのとき、どうして自分はいつも貧しいんだろうとか、いい仕事が見つからないんだろう、お金持ちの家に生まれなかったんだろうと思っていると、気持ちは暗くなる。これはお金に不自由している今の自分に考えが向いているからだ。お金に不自由しなくなったら、楽しいだろうな。こんなこともあんなこともできる。人にごちそうしてあげたり、プレゼントしたりもできるぞ。うれしいな。そう思っていたら、気持ちは明るくなる。そう、感情というナビが「だいじょうぶだよ、このまま進みなさい」と教えてくれるからだ。

こう説明すると、わかった、簡単じゃないか、やってみようと思われるだろう。だが、これがあんがいそうではない。エイブラハムは本書のなかで、人が人生でぶつかりそうなさまざまな事例を挙げて、実際に自分の思考をどう方向づけるかを教えている。親子関係から夫婦関係、恋人との関係、仕事のこと、10代の悩み、ペットの病気、配偶者や親の病気や死。訳しながら、なるほど、そうくるか、そういうふうに考えればいいのか、と何度も感心した。訳者もかなりの年数を生きてきているので、ここで挙げられている問題のいくつかには覚えがある。現在進行形の問題もある。それらについて、エイブラハムが教えているように明るい前向きな気持ちになる考え方をするのにはちょっと努力がいる。エイブラハムの言うように、「少しだけホッとして気持ちが楽になることを考えよう」といつも心がけないとなかなかできない。でも、心がけていればきっといい結果になる。ぜひ、試していただきたい。

この1から33までの事例は、実はその一つひとつだけで本が書けるほどの深いテーマでもある（実際に本屋さんに行けば、関連したいろいろな本が見つかるはずだ）。これだけの内容が一冊に詰め込まれているなんて、本書は大変にお買い得だと断言する。

エイブラハムは「生命の川はあなたの望みがすべて実現している下流へ向かって流れている」と言う。ところがわたしたちは、その流れに逆らって必死に上流へ向かってカヌーを漕いでいる。願いの実現を阻止しているのは、実は自分自身なのだ。流れに抵抗するのをやめよう。オールを放してのんびり川の流れに身を委ねよう。そうすれば、きっと夢の実現へと運んでもらえる。それどころか、「流れに抵抗してがんばっているわたしたちがやれやれと眠りに就いているあいだに、カヌーはくるりと向きを変えて下流に向かっている」とエイブラハムは言う。

こんなことを告白するのは恥ずかしいが、訳者は決して楽観主義者ではなく、むしろ、暗いこと悲観的なことを考えがちな、ひがみっぽい人間だった（だった、つまり過去形であってほしいと自分では思っている)。そのせいか、小さいころによく父親に言われた。「どうせ、と言うな！」と。「どうせ」という言葉のあとにはきっとネガティブな内容が続く。あの玩具が、本が欲しいの。でも、どうせ買ってもらえないんでしょ。こうしたい、ああしたい、でもどうせできっこないもの。

こんな訳者がなんとかこれまで生きてきて、それなりに幸せでいられるのは、どうせどうせのひがみっぽい考え方をしていても、自分が眠っている間にカヌーがくるりと回転して下流に向かって流れていたのかもしれないな、ふとそう思ったら、うれしくなったのだ。

生命の川は必ずあなたを幸せな下流へと運んでくれる。明るい前向きな気持ちでいることを心がけよう。他人が自分の幸せを左右すると思っていたら(他人はコントロールできないのだから)幸せになるのはとても難しい。だから自分中心でいい。まず自分が幸せになろう。そう考えると目の前が明るく開ける思いがするのではないだろうか。

本書の翻訳にあたっては、前作に引き続き編集者の「にしき」さんこと、錦織新さんに大変お世話になった。ここで厚くお礼を申しあげる。また「にしき」さんは「引き寄せの法則」公式ブログを書いていらっしゃる（http://blog.sbcr.jp/hikiyose/）。「にしき」さんのブログを読むと、ますます「引き寄せの法則」について理解が深まるし、身近に感じられる。インターネットに接続できる方は、どうか本と併せて「にしき」さんのブログも読んでいただきたい。

吉田利子

2008年2月

エスター・ヒックス、ジェリー・ヒックス

見えない世界にいる教師たちの集合体であるエイブラハムとの対話で導かれた教えを、1986年から仲間内で公開。お金、健康、人間関係など、人生の問題解決にエイブラハムの教えが非常に役立つと気づき、1989年から全米50都市以上でワークショップを開催、人生をよりよくしたい人たちにエイブラハムの教えを広めている。エイブラハムに関する著書、カセットテープ、CD、ビデオ、DVDなどが700以上もあり、日本では『引き寄せの法則 エイブラハムとの対話』（当社）、『サラとソロモン』（ナチュラルスピリット）、『運命が好転する 実践スピリチュアル・トレーニング』（PHP研究所）、『「引き寄せの法則」のアメイジング・パワー』（ナチュラルスピリット）が紹介されている。

ホームページ　http://www.abraham-hicks.com/
「引き寄せの法則」公式サイト　http://blog.sbcr.jp/hikiyose/

吉田利子（よしだ・としこ）

埼玉県出身。東京教育大学文学部卒業。訳書に、ニール・ドナルド・ウォルシュ『神との対話』シリーズ（サンマーク出版）、ビル・エモット『日はまた昇る』、スタンリー・ビング『孫子もタマげる勝利術』（ともに草思社）、オリヴァー・サックス『火星の人類学者』（早川書房）、ゲイリー・レナード『神の使者』（河出書房新社）、ドロシー・ロー・ノルト『いちばん大切なこと。』（PHP研究所）など。

実践《じっせん》 引《ひ》き寄《よ》せの法則《ほうそく》 感情《かんじょう》に従《したが》って“幸《しあわ》せの川《かわ》”を下《くだ》ろう

2008年3月29日 初版第1刷発行

著者　エスター・ヒックス　ジェリー・ヒックス
訳者　吉田利子《よしだとしこ》
発行者　新田光敏
発行所　ソフトバンク クリエイティブ株式会社
〒107-0052 東京都港区赤坂4-13-13
電話　03-5549-1201（営業部）
装幀　松田行正十加藤愛子
DTP　クニメディア株式会社
印刷・製本　中央精版印刷株式会社

落丁本、乱丁本は小社営業部にてお取り替えいたします。

定価は、カバーに記載されています。

本書の内容に関するご質問等は、小社学芸書籍編集部まで必ず書面にてお願いいたします。


 ISBN978-4-7973-4518-6